Als MERIAN-Scouts unterwegs: Spitzenköchin Lisa Angermann führt durch Leipzig, Basketballer Malte Ziegenhagen zeigt sein Chemnitz

AF202834

Willkommen in Sachsen!

Es ist eine Herausforderung, die 200 spannendsten Spots einer Region wie Sachsen in einem einzigen Magazin zu versammeln. Dresden, Leipzig – allein diese beiden Städte strotzen nur so vor Museen, Kulturdenkmälern und kreativen Konzepten in Sachen Gastronomie, Szene und Design. Aber Sachsen ist eben noch viel mehr: Das Land reicht vom Elbland im Norden bis zum Vogtland im Südwesten, von der Oberlausitz im Osten bis zum Erzgebirge an der Grenze zu Tschechien. Jede dieser Regionen hat ihren eigenen Charakter. So bestand die Masteraufgabe der Redaktion darin, die richtige Auswahl zu treffen zwischen Klassikern und Insider-Tipps, großen Highlights und kleinen Perlen. Zum Glück haben wir auch bei dieser Ausgabe großartige Scouts gefunden, die uns ihre persönlichen Lieblingsorte verraten haben. Wir waren mit Winzerstar Matthias Schuh vor den Toren Dresdens unterwegs, Köchin Lisa Angermann führte durch Leipzig, und Basketball-Profi Malte Ziegenhagen hat uns sein Chemnitz gezeigt. Entstanden ist so eine bunte Mischung, ein prallvolles Heft, das Sachsen von allen Seiten vorstellt. Viel Spaß beim Entdecken!

WO LIEGT WAS?

Alle Tipps finden Sie auf der großen Karte auf S. 6-7. Fünf Kategorien helfen bei der Orientierung. Weitere wertvolle Informationen finden Sie auf der Website sachsen-tourismus.de

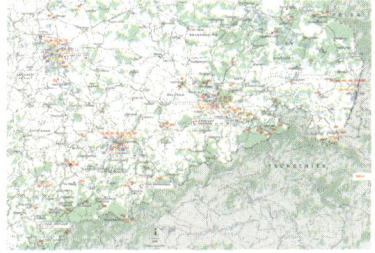

⭐ **ENTDECKEN & ERLEBEN**

🍴 **ESSEN & TRINKEN**

🛍 **SHOPPING**

🍸 **FEIERN**

💤 **ÜBER NACHT**

Inhalt

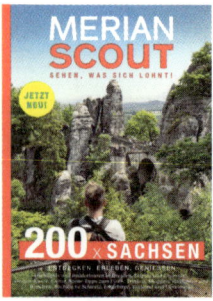

Eine Landschaft wie gemalt –
so wirken die erhabenen Felstürme der Sächsischen Schweiz. Künstler der Romantik bewunderten und bannten sie tatsächlich auf Leinwand. Die heutigen Besucher der Basteibrücke greifen lieber zum Smartphone

Zukunft? Hier entlang! Die Baumwollspinnerei zeigt: Leipzig hat den Wandel von der Industriestadt zur Smart City gemeistert

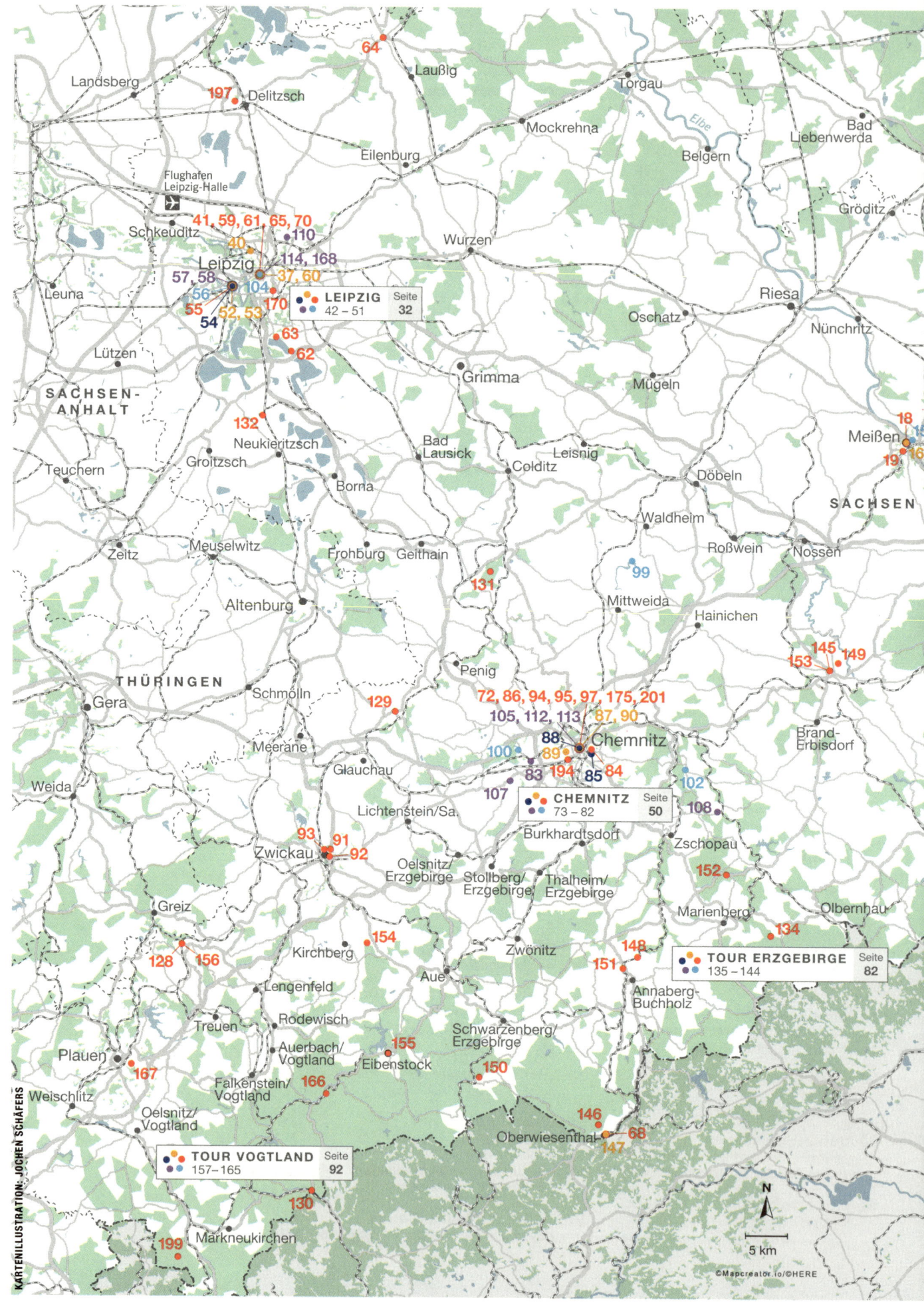

Landsberg

64

Laußig

Torgau

197 Delitzsch

Mockrehna

Belgern

Elbe

Bad
Liebenwerda

Eilenburg

Flughafen
Leipzig-Halle

Schkeuditz

41, 59, 61, 65, 70

Wurzen

110

Gröditz

Leuna

40

114, 168

Riesa

57, 58
56
104 37, 60
55 170
52, 53
54

Nünchritz

18
Meißen 15
19 16

LEIPZIG
42 – 51   Seite 32

63
62

Lützen

SACHSEN-
ANHALT

132

Grimma

Mügeln

Oschatz

SACHSEN

Teuchern

Neukieritzsch

Groitzsch

Bad
Lausick

Leisnig

Döbeln

Borna

Colditz

Waldheim

Roßwein

Nossen

Zeitz

Meuselwitz

Frohburg   Geithain

99

Mittweida

Hainichen

Altenburg

131

THÜRINGEN

Gera

Schmölln

Penig

145 149
153

Brand-
Erbisdorf

129

Meerane

72, 86, 94, 95, 97, 175, 201
105, 112, 113   87, 90

Glauchau

88
89
100
83 194

Chemnitz
85 84

102

Weida

Lichtenstein/Sa.

107

108

CHEMNITZ
73 – 82   Seite 50

Burkhardtsdorf

Zschopau

93
91
92

Zwickau

Oelsnitz/
Erzgebirge

Stollberg/
Erzgebirge

Thalheim/
Erzgebirge

152

Marienberg

Olbernhau

Greiz

Zwönitz

134

154

148

TOUR ERGEBIRGE   Seite
135 – 144   82

128   156

Kirchberg

151

Lengenfeld

Aue

Annaberg-
Buchholz

Treuen

Rodewisch

Schwarzenberg/
Erzgebirge

Plauen

Auerbach/
Vogtland

155

167

Eibenstock

150

Weischlitz

Falkenstein/
Vogtland

166

Oelsnitz/
Vogtland

146
68
Oberwiesenthal   147

TOUR VOGTLAND   Seite
157 – 165   92

130

199   Markneukirchen

N

5 km

©Mapcreator.io/©HERE

KARTENILLUSTRATION: JOCHEN SCHÄFERS

POLEN

BRANDENBURG

Großräschen
Spremberg
Schleife
182
178
Schipkau
Senftenberg
Gablenz
Lauchhammer
179
Weißwasser/O.L.
Schwarzheide
180
Spreetal
Lauta
Elsterwerda
181
Hoyerswerda
Boxberg/O.L.
Rietschen
Bernsdorf
Lohsa
Hähnichen
Kreba
Rothenburg/
Oberlausitz
Großenhain
Königswartha
176
Niesky
Radeburg
Großdubrau
Kodersdorf
177
Pulsnitz
Melaune
Kamenz
101
66, 189, 190, 191, 192, 193
Flughafen
Bautzen
35
Görlitz
Großröhrsdorf
23
Dresden
39, 186, 187
Moritzburg
169, 171, 188
17
22 21
Radeberg
Bischofswerda
98
6
174
Radebeul
14, 109
Löbau
196
2, 12, 71
200
3, 4, 5
13, 38, 198
127
106
Dresden
20
173
Ostritz
1, 7, 8, 9, 11, 69, 96 34
10
Freital
118 119
Neustadt in
111
172
117
Sachsen
Heidenau
120
184
36
121
115
Zittau
185
103
Pirna
124
195
133
WEINTOUR   Seite
116
67
123
183
DRESDEN 24–33 24
122
125
Großschönau
Dippoldiswalde
Bad Schandau

Glashütte

Frauenstein
T S C H E C H I E N

Altenberg

126 ▸

MERIAN
SCOUT SACHSEN

	ENTDECKEN & ERLEBEN		FEIERN
	ESSEN & TRINKEN		ÜBER NACHT
	SHOPPING		

Vor der restaurierten Frauenkirche
steht das originale Martin-Luther-
Standbild von 1885

01

FRAUENKIRCHE · CANALETTO-BLICK · YENIDZE

KLASSIKER · KUNSTHOF · FÄHRHAUS MEISSEN · VELOCIUM

ALBRECHTSBURG · MEISSENER PORZELLAN

MORITZBURG · WEINTOUR MIT WINZER MATTHIAS SCHUH

Die »steinerne Glocke« ist neben der Semperoper, dem Zwinger und Schloss Pillnitz ein Highlight im barocken Dresden. Verpassen Sie aber bitte nicht das bunte Treiben in der Neustadt, Meißen und die umliegenden Weinberge

Frauenkirche

Erhaben thront die »neue alte« Frauenkirche im Herzen der Altstadt. Kaum zu glauben, dass das Gotteshaus am Neumarkt nach der Zerstörung im Zweiten Weltkrieg ein halbes Jahrhundert lang aus der Dresdner Stadtsilhouette verschwunden war, bis es – größtenteils mithilfe von Spendengeldern – wiederaufgebaut und 2005 geweiht wurde. Ursprünglich ging die gigantische, 12 000 Tonnen schwere »steinerne Glocke« auf einen **Entwurf des Ratszimmermeisters George Bähr von 1726** zurück. Beim Wiederaufbau wurde darauf geachtet, möglichst viel Originalmaterial zu verwenden, das sich deutlich von der hellen Sandsteinfassade abhebt. Neben dem protestantischen Sakralbau wurden auch die pastellfarbenen Häuser rund um den Neumarkt rekonstruiert, sodass Besucher wieder in ein komplettes barockes Bauensemble eintauchen können. Unbedingt auch auf die Kuppel steigen, für einen herrlichen Rundumblick.
⊛ *Dresden, Neumarkt, frauenkirche-dresden.de*

FOTO: WALTER SCHMITZ

CANALETTO-BLICK

Das Flussufer gehört zu den beliebtesten Picknickplätzen der Stadt. Schon der venezianische Maler liebte im 18. Jahrhundert diesen Anblick

Wie gemalt: die berühmte Aussicht auf die Dresdner Stadtsilhouette

02

Elbpanorama

Hach! So herrlich kann ein Sommertag in Dresden sein. Kurz mit dem Fahrrad an die Elbe fahren, eine Picknickdecke ausbreiten und gemeinsam mit Freunden die Sonne genießen. Dazu gibt es das schönste Panorama, das Dresden zu bieten hat. Denn von den breiten Wiesen des rechten Elbufers blickt man über den Fluss und die Augustusbrücke hin zu den prunkvollen Türmen und Fassaden der Altstadt: zur mächtigen Kuppel der Frauenkirche, vor der sich die Brühlsche Terrasse erstreckt, und zum Schlossplatz, um den sich Ständehaus, Georgentor mit angrenzendem Stallhof, die Hofkirche und das dahinter liegende Schloss gruppieren. Ob der **venezianische Maler Bernardo Bellotto, genannt Canaletto,** 1748 einen genauso entspannten Tag in der Residenzstadt verbrachte wie die Menschen auf unserem Foto, ist nicht überliefert. Aber zumindest war er von der Aussicht auf die Stadtsilhouette so entzückt, dass er sie in Öl verewigte. Und so nennt sich der Ort, der heute zum Picknick einlädt, auch »Canaletto-Blick«. Übrigens: Wer das berühmte Bild sehen möchte, muss nur die Augustusbrücke überqueren – es hängt in der Gemäldegalerie »Alte Meister« im Dresdner Zwinger.

⭐ *Dresden, rechtes Elbufer unterhalb der Augustusbrücke*

Yenidze

Bei einem Cocktail im höchstgelegenen Dachgarten der Stadt genießt man orientalisches Flair und eine grandiose Aussicht über die Dächer Dresdens

Echter Blickfang: Die etwa 20 Meter hohe Glaskuppel der Yenidze wird nachts von innen beleuchtet

03

1001 Nacht in Dresden

Die farbenfrohe gläserne Moscheekuppel und das Minarett, das sich über der Dresdner Friedrichstadt in den Himmel reckt, erinnern eher an den Orient als an Sachsen. Genau so, wie es sich Hugo Zietz erhofft hatte. Anfang des 20. Jahrhunderts ließ der Fabrikant die märchenhafte **Orientalische Tabak- und Cigarettenfabrik Yenidze** errichten, benannt nach einem Tabakanbaugebiet im heutigen Griechenland. Mit dem auffälligen Gebäude, bei dem Jugendstil mit maurischen Elementen kombiniert wurde, warb er nicht nur für seine Zigaretten, sondern umging auch das Bauverbot hoher Schornsteine, indem er den Schlot als Minarett verkleidete. Heute beherbergt die Yenidze Büros und das »Kuppelrestaurant«, das Speisen wie »Haremsschmaus« (Hähnchenbrustfilet mit Curry-Ingwer-Mango-Chutney) oder »Kalifenschmaus« (Lammrücken mit Minzjoghurt und orientalischen Kartoffel-Linsen) auftischt.

🍴 *Dresden, Weißeritzstr. 3*
kuppelrestaurant.de

ESSEN IN DER ALTSTADT

04 BÄRENZWINGER

Kultiger Studentenclub in den historischen Dresdner Befestigungsanlagen mit überdachtem Innenhof.
🍴 *Dresden. Brühlscher Garten 1, baerenzwinger.de*

05 RESTAURANT FELIX

Feine, hübsch arrangierte Speisen, und von der Dachterrasse blickt man direkt auf den Dresdner Zwinger.
🍴 *Dresden, Kleine Brüdergasse 1-5. dein-felix.de*

DIE KLASSIKER

Ein Hauch China, eine riesige Ahnengalerie aus Porzellan und ganz viel Barock: Diese Bauwerke zeigen die wechselhafte Geschichte Dresdens und den Glanz dieser Stadt

06

MILITÄRHISTORISCHES MUSEUM

Zugegeben: Militärgeschichte interessiert vielleicht nicht alle, aber das 2011 nach Plänen von Daniel Libeskind erweiterte Militärhistorische Museum ist nicht nur optisch ein Highlight. Die Ausstellung regt zum Nachdenken an. Denn statt technischer Kriegsführung steht der Mensch im Vordergrund, genauso wie die Frage nach den Ursachen und Folgen von Krieg und Gewalt. Dabei greifen architektonische und thematische Auseinandersetzung des Themas gelungen ineinander über.

☆ *Dresden, Olbrichtplatz 2, mhmbw.de*

Aufreger: Über den »architektonischen Axthieb« des Stararchitekten Daniel Libeskind wurde leidenschaftlich gestritten

07

08

09

SEMPEROPER

Dieses Bauwerk gibt in Dresden den Ton an: Das nach seinem Architekten Gottfried Semper benannte Opernhaus besticht mit spätklassizistischer Architektur, hervorragender Akustik und einem meisterhaften Ensemble. Wer keine Karten für eine Vorstellung ergattert, kann eine Führung buchen. ⊛ *Dresden, Theaterplatz 2, Tickets: semperoper.de, Führungen: semperoper-erleben.de*

GRÜNES GEWÖLBE

Ein Besuch dieses Museums gleicht einer Zeitreise in den Barock. Zwischen 1723 und 1730 ließ August der Starke sich im Dresdner Schloss eine eigene Schatzkammer errichten, um seine Schmuckstücke und Preziosen aus Gold, Diamanten und anderen Edelsteinen repräsentativ zu lagern. Heute gehört die funkelnde Ausstellung zu den Staatlichen Kunstsammlungen und ist in einen historischen und einen neuen Teil aufgeteilt.

⊛ *Dresden, Residenzschloss, Taschenberg 2, gruenes-gewoelbe.skd.museum*

DRESDNER ZWINGER

Unter einem »Zwinger« verstand man im Mittelalter einen Festungsteil zwischen innerer und äußerer Festungsmauer. Doch was Besucher hier vorfinden ist ein barockes Gesamtkunstwerk aus Gärten mit Springbrunnen, reich verzierten Pavillons und Galerien. Hinter den prachtvollen Fassaden befinden sich diverse Museen, darunter die Gemäldesammlung Alte Meister. ⊛ *Dresden, Sophienstraße, der-dresdner-zwinger.de*

10

11

SCHLOSS PILLNITZ

Barock meets Fernost – so könnte man auf Neudeutsch das hübsche Schlossensemble an der Elbe beschreiben. Herz der Anlage ist ein Lustgarten, der von drei Bauwerken begrenzt wird, die heute als Museen dienen: Wasserpalais, Bergpalais und Neues Palais. 1706 hatte August der Starke das Anwesen der Gräfin Cosel geschenkt, doch später zog er es vor, die Geliebte zu verbannen und das Schloss als Sommerresidenz zu nutzen. Sein Baumeister Matthäus Daniel Pöppelmann orientierte sich am Palast des chinesischen Kaisers und an venezianischen Palastbauten. Im Park kann man viele botanische Schätze entdecken.

⊛ *Dresden, August-Böckstiegel-Str. 2 schlosspillnitz.de*

FÜRSTENZUG

Diese Ahnengalerie kann sich sehen lassen! Der Fürstenzug, der die Außenfassade des Stallhofs in der Augustusstraße schmückt, besteht aus 23 000 Meissener-Porzellan-Kacheln und ist mit 102 Meter Länge und mehr als zehn Meter Höhe das größte Porzellanbild der Welt. Dargestellt werden 35 Herrscher des Hauses Wettin von 1127 bis 1873 — hoch zu Ross, zusammen mit anderen Personen, Tieren und symbolträchtigen Ornamenten.

⊛ *Dresden, Augustusstraße*

Kunsthof

Sie ist der wohl bunteste Ort in der ohnehin schon vielfältigen Dresdner Neustadt. Alle paar Schritte befinden sich in der Passage Galerien, Kneipen – und fantasievolle Open-Air-Kunst

Im Hof der Elemente herrscht ewig blaue Stunde. Dazu passt ein Bier im Pub »Hopfenkult«

12

Wassermusik

Dresdens schönstes Hinterhof-Ensemble sollte man bei Regen besuchen. Nicht nur, weil man hier viel Zeit in den Geschäften für Mode und Kunsthandwerk verbringen und sehr gut essen gehen kann. Sondern auch, weil dann die **singenden Regenrinnen** ein Konzert geben. Erfunden haben das praktische wie formschöne Konstrukt die Bildhauerin Annette Paul und die Designer Christoph Roßner und André Tempel. Ihnen gefiel der Klang von Regen so sehr, dass sie ihn mithilfe dieses Systems aus Aluminium-Rohren und -Trichtern verstärkten. »Hof der Elemente« heißt dieser Teil der aus fünf Bereichen bestehenden Kunsthof Passage. Dazu gehören noch die Höfe des Lichts, der Fabelwesen, der Tiere und der Metamorphosen – alle mit fantastievoll gestalteten Fassaden. Wem es dann doch zu nass wird, der findet in den Galerien der Kunsthof Passage bestimmt ein Souvenir von diesem unvergesslichen Ort.

☆ *Dresden, Görlitzer Str. 21–25*
kunsthof-dresden.de

ESSEN UND SHOPPEN

13 LILA SOSSE

Das junge, innovative Küchenteam serviert Gerichte von Rinderbäckchen bis Rote-Bete-Risotto im Hof der Fabelwesen.
🍴 *Dresden, Alaunstr. 70*
lilasosse.de

14 MJUUK STORE

Ob Mode oder Drucke von lokalen Künstlern: Alle Produkte in diesem Concept Store in der Neustadt sind nachhaltig hergestellt.
🛍 *Dresden, Böhmische Str. 10a, mjuukstore.de*

Fährhaus Meißen

Mal so durch die Blume gesagt: Hier werden Sie nicht wieder auschecken wollen

15

Es ist völlig egal, in welchem der zehn Zimmer von Christine und Fedder-Christian Paulsen Sie sich einquartieren: Schön sind sie alle und übrigens jedes nach einem Thema gestaltet – vom tiefblauen Zimmer »Kobalt« über das blumige »Hortus« bis zu »Päonie« (Foto), was Pfingstrose bedeutet. Das Paar aus Ostholstein zog 2012 nach Meißen, um hier dieses **Designhotel** zu eröffnen. Er ist Künstler, sie war lange Hausfrau; »so eine typische West-Mama, zu Hause mit unseren drei Kindern«. Heute verwöhnt sie die Gäste ihres Hotels vom sehr leckeren Frühstück bis zur abendlichen Teebar. Er hat die Inneneinrichtung konzipiert. Dass in jedem Zimmer besonders liebevoll bemalte Porzellankacheln zu finden sind – in Meißen Ehrensache.

Meißen, Hafenstr. 16-18, designhotel-meissen.de

AUF DER ANDEREN ELBSEITE

16

VINOTHEK MEISSEN

Mitten in der Altstadt können Claudia Beyers Gäste ausgesuchte Weine von 18 sächsischen Winzern genießen. Dazu werden Snacks serviert. Man sitzt in der gemütlichen Weinstube oder im hübschen Garten – von hier sieht man die Türme der Albrechtsburg. Noch etwas größer ist die Auswahl in der Filiale in der Elbstraße 11.

Meißen. Burgstr. 18
vinothek-meissen.de

Velocium

Schon mal Hochrad gefahren? Hier können Sie's ausprobieren

Wer vor 100 Jahren mit Zweitakt-Hilfsmotor auf dem Gepäckträger durch die Landschaft brauste, zog alle Blicke auf sich. Das aufgepimpte Rad der Dresdner Firma Amato, Baujahr 1925, brachte es immerhin auf 40 Stundenkilometer. Noch heute ist es ein Hingucker, zu sehen im Fahrradmuseum Velocium in Weinböhla. Genauso wie die nach Karl von Drais rekonstruierte Laufmaschine und viele Originale: ein Hochrad von 1885 etwa oder ein Sesselrad von 1921. »Das war ein Vorläufer der heutigen Liegefahrräder«, erklärt Museumsleiter Steffen Stiller. »Entwickelt hatte es der Ingenieur Paul Jaray, der eigentlich Luftschiffe bei der Firma Zeppelin baute.« Mit solchen Rad-Raritäten führt das mitten in der Pandemie eröffnete Museum seine Besucher unterhaltsam durch **200 Jahre Fahrradgeschichte** von der Laufmaschine bis zum E-Bike und zeigt, wie Sachsens Fahrradindustrie um 1900 blühte. Viel zu sehen gibt es auch in der historischen Werkstatt, und auf den interaktiven Touchscreens kann man einige der kuriosen Fahrräder, die in der Ausstellung gezeigt werden, virtuell aus Einzelteilen zusammensetzen. Wer selbst in die Pedale treten möchte, setzt sich vor den Bildschirm des Simulators und fährt zum Beispiel ein Stück den Elberadweg entlang. Oder probiert auf dem Parcours des Außengeländes ein nachgebautes Hochrad aus. Netter Service: Besucher dürfen ihr E-Bike aufladen, und bei einem Platten hält der »Schlauchomat« Ersatzschläuche in diversen Größen bereit.

⭐ *Weinböhla, Kirchplatz 5*
velocium-weinboehla.de

18

Die Wiege Sachsens

Quizfrage: Welches ist das älteste Schloss in Deutschland? Richtige Antwort ist A wie Albrechtsburg in Meißen! Schon 929 errichtete König Heinrich I. auf einem Felsen über der Elbe eine Wehranlage, die als erster befestigter Stützpunkt der Deutschen im damals slawischen Gebiet galt. 1125 fiel die »Wiege Sachsens« in den Besitz der Wettiner, die von hier aus fast 800 Jahre lang die Mark Meißen und später auch das Kurfürstentum Sachsen regierten. Die Brüder Ernst und Albrecht von Wettin ließen von 1471 an die Albrechtsburg im spätgotischen Stil erbauen und damit den ersten Schlossbau im deutschsprachigen Raum. Da jedoch kurz darauf Dresden Residenz wurde, stand er lange leer. Ein Glücksfall für heutige Besucher, denn dadurch wurde das Bauwerk von Umbauten verschont und beeindruckt noch immer als **Perle der Spätgotik.** Von 1710 an quartierte August der Starke seine Porzellanmanufaktur in die Räume ein, bis diese 1863 in ein neues Gebäude umzog. Die Albrechtsburg wurde mit Wandbildern geschmückt und zum Museum umgewidmet, das man heute mit Puschen an den Füßen besuchen kann. Einen schönen Blick auf die engen Gassen von Meißen hat man vom Oberen Promenadenweg, der um die Burg und den benachbarten Dom führt — auch er ist ein gotisches Meisterwerk.

 *Meißen, Domplatz 1*
albrechtsburg-meissen.de

Aus der Stadtsilhouette und den
umliegenden Weinbergen ragen Meißens
Albrechtsburg und der Dom heraus

Albrechtsburg

Dresden und Leipzig mögen heute größer sein, doch lange schlug das
Herz des sächsischen Kurfürstentums in Meißen. Über der Stadt thront
noch heute das einstige Zentrum der Macht

Meissener Porzellan

Feines und Filigranes. Und über Scherben sind sie hier alles andere als glücklich

19

NOCH MEHR PORZELLAN

Gucken, kaufen oder selber kreieren? All dies ist möglich in der **Staatlichen Porzellanmanufaktur Meissen** – der ältesten Fabrik ihrer Art in Europa. Das Museum führt durch mehr als 300 Jahre Porzellangeschichte, die 1710 in der Albrechtsburg ihren Anfang nahm. Die Schauwerkstätten im Triebischtal laden dazu ein, die Entstehung des berühmten weißen Goldes hautnah mitzuerleben, und in den Verkaufsräumen gibt es eine große Auswahl des Porzellans mit den berühmten gekreuzten Kurschwertern. Sie möchten ein echtes Unikat? Dann designen Sie bei einem Workshop ein eigenes Werk. Wer weiß, ob nicht ein begabter Bossierer, also ein Porzellangestalter, in Ihnen steckt?

⭐ *Meißen, Talstr. 9*
erlebniswelt-meissen.com

20 MEISSEN SIGNATURE STORE

Wer es nicht nach Meißen schafft, kommt auch in Dresden auf seine Kosten: Auf 230 Quadratmetern können Besucher florale Tafelservice und zarte Plastiken, Vasen sowie limitierte Werke verschiedener Künstler erstehen. Tipp: In der angrenzenden Einkaufspassage »Quartier Frauenkirche« bekommt man im Outlet günstig Restposten.

🏛 *Dresden, An der Frauen-kirche 1. meissen.com*

Moritzburg

Märchenhaft: Im Wasserschloss können Sie auf Aschenbrödels Spuren wandeln

21

Beim Anblick dieses eleganten, gelben Wasserschlosses denkt man sofort an Märchen – und liegt damit gar nicht mal so falsch. Denn tatsächlich diente **Schloss Moritzburg** im Weihnachtsfilm »Drei Haselnüsse für Aschenbrödel« als Kulisse. Im wirklichen Leben trafen sich die kurfürstlich-königlichen Familien in dem barocken Anwesen zu diversen royalen Vergnügungen, wovon heute noch vier Prunksäle und die Ausstellung zur höfischen Jagd zeugen. Lohnenswert ist auch ein Spaziergang durch die Parkanlage bis zum Fasanenschlösschen und dem kleinen Leuchtturm am Großteich. Und wer die Augen offen hält, findet beim Gang um das Schloss bestimmt auch Aschenbrödels Schuh.

⊛ *Moritzburg, Schloßallee*
schloss-moritzburg.de

EINEN ABSTECHER WERT

22 KÄTHE-KOLLWITZ-HAUS

Im letzten Wohnhaus der Künstlerin gibt eine Ausstellung einen Überblick über ihr Leben und Werk.
⊛ *Moritzburg, Meißner Str. 7*
kollwitz-moritzburg.de

23 SEIFERSDORFER TAL

Herrlicher Landschaftsgarten aus dem 18. Jahrhundert, den schon Goethe zu schätzen wusste.
⊛ *Seifersdorf/Wachau*

24-33

Matthias Schuh dort, wo er sich am wohlsten fühlt: in seinem Weinberg

WEINTOUR MIT
MATTHIAS SCHUH

Einen besseren Guide für das Weinland Sachsen kann man sich kaum wünschen: Der 34-Jährige lebt nahe Meißen und gilt als einer der besten jungen Winzer Europas. Hier verrät er seine Lieblings-Spots

Zum Weingut Schuh gehören auch ein Restaurant und die Vinothek

Barockes Schmuckstück zwischen den Reben: die Weinbergkirche in Pillnitz

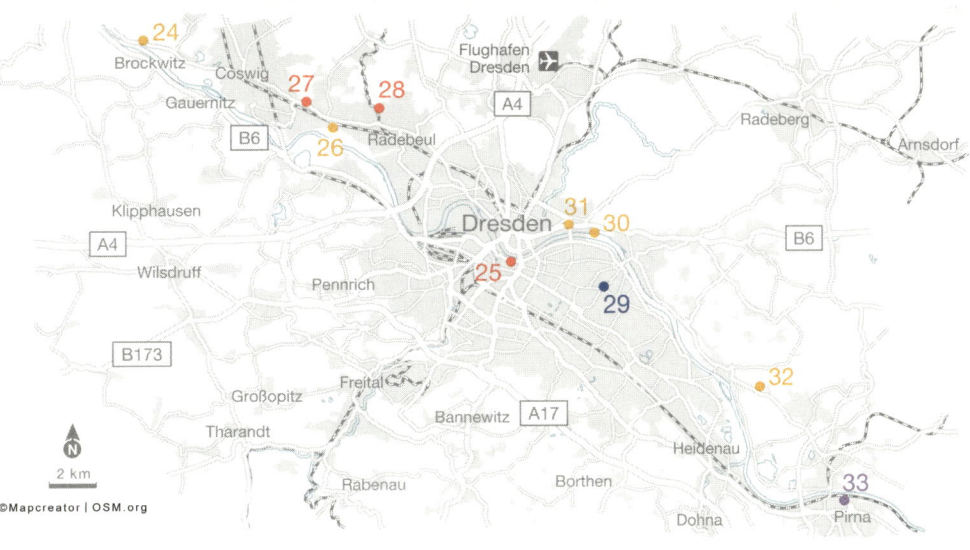

©Mapcreator | OSM.org

2 km

Barocke Malereien zeugen von der langen Geschichte des Weinguts Hoflößnitz

Die Tellerkreation des Restaurants »Genuss-Atelier«. Fast zu schade zum Aufessen

Wer Winzer als Eltern hat, der wird im Weinberg groß, und mir war schon früh klar, dass ich in die Fußstapfen meines Vaters treten möchte. Nach Stationen in Frankreich und Neuseeland habe ich 2016 gemeinsam mit meiner Schwester das elterliche **Weingut Schuh** übernommen. Bis heute ist unser Weinberg mein absoluter Lieblingsplatz: Man kann herrlich über die Reben hinweg den Sonnenuntergang über dem Elbtal beobachten und die Aussicht auf den Meißner Dom und die Albrechtsburg genießen.

Unser Weingut liegt am Stadtrand in zwei liebevoll restaurierten Höfen mit Restaurant, Vinothek und Gästezimmern. Oft haben wir Besucher, die von hier aus die **Sächsische Weinstraße** erkunden wollen, die sich auf knapp 60 Kilometer Länge von Diesbar-Seußlitz hinter Meißen bis nach Pirna erstreckt. Jedes Jahr Ende August gibt es die »Tage des offenen Weingutes«, an denen Busse ein Wochenende lang von einem Weingut zum nächsten pendeln.

Aber auch im Rest des Jahres kann man das Auto getrost stehen lassen, wenn man Schlösser, Gärten und Weinkeller entlang der Elbe kennenlernen möchte. Direkt vor unserer Tür liegt nämlich der **Elberadweg.** Und wer gerne zu Fuß unterwegs ist, kann auch in Etappen den **Sächsischen Weinwanderweg** entlanglaufen. Mein Tipp: eine Mischung aus wandern, radeln und Schiff

fahren. Die **Weiße Flotte,** die älteste Raddampfer-Flotte der Welt, legt an verschiedenen Stationen entlang der Weinstraße an und fährt anschließend weiter in die Sächsische Schweiz.

Wer in Meißen gestartet ist, könnte einen ersten Stopp in Radebeul einlegen. Nicht weit vom Fähranleger entfernt liegt gleich neben der Friedenskirche das **Gasthaus Oberschänke.** Zu leckeren Gerichten wie »Perlhuhnbrust an Rahmwirsing und Kartoffelbaumkuchen« oder »Sauerbraten vom Reh mit Rosenkohl und Semmelknödeln« wird hier auch unser Wein aufgetischt. Frisch gestärkt ist der rund 20-minütige Spaziergang zum **Schloss Wackerbarth,** Sitz des Sächsischen Staatsweingutes, leicht zu bewältigen. Neben dem barocken Herrenhaus kann man die Wein- und Sekt-Manufaktur besichtigen oder durch den Park schlendern, etwa zum Aussichtspavillon Belvedere.

Mehr über die gut 850-jährige Tradition des Weinbaus im Elbtal erfahren Besucher im nahe gelegenen **Weingut Hoflößnitz,** wo sächsischer Bio-Wein gekeltert wird. Der Gutshof war einst kurfürstliches Weingut und Landsitz der Wettiner. Von dieser Zeit zeugt der prächtige Festsaal im oberen Stockwerk mit opulenten Bildtafeln und einer barocken Kassettendecke. In den weiteren Räumlichkeiten ist das **Sächsische Weinbaumuseum** untergebracht.

Beliebtes Ausflugsziel: die Parkanlagen von Schloss Wackerbarth bei Radebeul

Wer in der Weinstube zu viele Flammkuchen gegessen hat, will sich vielleicht sportlich betätigen und kann die **Spitzhaustreppe** erklimmen, wie es Jahr für Jahr die Teilnehmer des »Sächsischen Mt. Everest Treppenmarathons« tun. Während die Athleten 100 Runden laufen müssen, sind normale Besucher froh, wenn sie einmal die knapp 400 Stufen bewältigt haben. Oben wird man mit einer herrlichen Aussicht über das Elbtal belohnt.

Die nächste Etappe auf der Weinstraße ist Dresden. Kommt man mit dem Schiff, kann man den berühmten Canaletto-Blick auf die Altstadt bewundern, an dem ich mich bis heute nicht sattsehen kann. Die **Weinzentrale** in der Dresdner Neustadt ist für mich wie ein zweites Wohnzimmer. Es gibt wechselnde Speiseangebote, mal Tapas-Menü, mal Austern, und ausgezeichnete Weine, auch Neuheiten, mit denen mich Sommelier Jens Pietzonka immer wieder überrascht.

Folgt man der Elbe weiter, stechen drei hübsche Schlösschen ins Auge: Schloss Albrechtsberg, das Lingnerschloss und Schloss Eckberg. Im Kavaliershaus in der Parkanlage von Schloss Albrechtsberg liegt das **Weingut Lutz Müller.** Im Weinkeller gibt es Verkostungen und in den warmen Monaten essen die Gäste draußen in der Straußwirtschaft zum Wein Herzhaftes aus dem Holzbackofen.

Rund anderthalb Kilometer westlich liegt das **Genuss-Atelier** am Waldschlösschen, dem die richtige Mischung zwischen Klassik und Moderne, gutem Preis und hervorragender Qualität gelingt. Man sitzt im urigen Gewölbekeller oder auf der Terrasse und bekommt feine Köstlichkeiten angerichtet.

Ein weiterer Stopp entlang der Weinstraße ist natürlich Dresden-Pillnitz mit dem berühmten Schloss und der tollen Parkanlage. Auch hier hat der Weinanbau schon eine lange Tradition, wofür auch die kleine barocke **Weinbergkirche »Zum Heiligen Geist«** inmitten des Pillnitzer Königlichen Weinbergs steht. Nördlich von ihr führt ein Weinlehrpfad, der **Leitenweg**, vorbei. Folgt man ihm gen Osten, gelangt man nach rund 1,5 Kilometer Fußmarsch zum **Weingut Klaus Zimmerling.** Hier wird neben dem Weißwein auch Kunst großgeschrieben. Der Winzer ist nämlich mit der Bildhauerin Małgorzata Chodakowska verheiratet, deren Skulpturen das Anwesen zieren.

Mein letzter Tipp hat ausnahmsweise nicht mit Wein, sondern mit Schokolade zu tun, sozusagen als Nachtisch unserer Tour: In Pirna, dem finalen Stopp auf der Weinroute, kaufe ich für mich oder andere gerne eine Kleinigkeit von **Adoratio Schokoladenkunst.** Es gibt ein Geschäft mit Café direkt am Marktplatz neben dem Canaletto-Haus und eine Manufaktur etwas außerhalb in Thürmsdorf. Ein Muss für Schokoholics!

29 WEINZENTRALE

Es gibt mehr als 400 Weine zum Mitnehmen und wechselnde Spezialitäten vor Ort.
Dresden, Hoyerswerdaer Str. 26. weinzentrale.com

30 WINZER LUTZ MÜLLER

Wein mit Weitblick im romantischen Ambiente der drei Elbschlösschen.
Dresden, Bautzner Str. 130 winzer-lutz-mueller.de

31 GENUSS-ATELIER

In dem prämierten Restaurant bekommt man feine, hübsch dekorierte Speisen.
Dresden, Bautzner Str. 149 genuss-atelier.net

32 WEINGUT ZIMMERLING

Weinkeller und Atelier im Pillnitzer Königlichen Weinberg.
Dresden, Bergweg 27 weingut-zimmerling.de

33 ADORATIO SCHOKOLADE

Süßes Sortiment von Konfekt bis zum Brotaufstrich.
Pirna, Kirchgasse 1 adoratio-schokoladenkunst.de

Cafés

Eine Dosis Koffein gefällig? Aber Vorsicht: Sollten Sie sich während eines Stadtrundgangs in einem dieser Cafés niederlassen, bleiben Sie möglicherweise den ganzen Nachmittag dort sitzen

TRADITIONELL

CAFÉ TOSCANA
Säulen, Stuck und goldene Tapeten in diesem Gebäude aus der Kaiserzeit harmonieren gut mit den üppigen Torten. Ob Heidelbeer-Sahne oder Sauer-rahm-Kirsch-Tarte: Am besten genießt man sie mit Blick auf die Elbe und das Blaue Wunder.
Dresden, Schillerplatz 7
cafe-toscana.de **34**

GOLIATH
Wer in Bautzen entspannt früh-stücken möchte, kehrt am besten in diesem gemütlichen Altstadtcafé ein. Nachmittags gibt's haus-gemachte Torten – unbedingt die fluffige Eierschecke probieren – und abends diverse Flammkuchen.
Bautzen, Große Brüdergasse 6
goliath-bautzen.de **35**

ERNST SCHMOLE
In der familiengeführten Rösterei trinken Sie Espresso in dicken, braunen Ledersesseln. Alternativ auch Wein: Das Café, gelegen in einem historischen Gewölbehaus
aus dem 17. Jahrhundert, ist auch Vinothek und Feinkostgeschäft.
Pirna, Lange Str. 1
schmole-kaffee.de **36**

RIQUETHAUS
Das markante Jugendstilgebäude war einst Geschäftshaus eines Kakao-Importeurs. Wer eine lokale Spezialität probieren möchte, be-stellt die mit Mandeln und Nüssen gefüllte »Leipziger Lerche«.
Leipzig, Schuhmachergäßchen 1
riquethaus.de **37**

---

38 *Teatime!*

LLOYD'S CAFÉ & BAR
Man könnte sagen: eine britische Enklave in Dresdens Neustadt. Ideal für den Afternoon Tea im Kaminzimmer. Gurken-Sandwiches und Scones werden »very british« auf Etageren gebracht.
Dresden, Martin-Luther-Str. 17
lloyds-cafe-bar.de

MODERN

CAFÉ HERZSTÜCK
Wer bei Nancy Scholz Kaffee trinkt, bekommt allein schon wegen der fröhlich-bunten Einrichtung – einem Mix aus Palettensofas, Vintage-Möbeln und Lichterketten – gute Laune. Das erste vegetarische Café in Görlitz mit angeschlossener Nähschule hat auch vegane und glutenfreie Kuchen auf der Karte: etwa die beliebte Schokotorte mit Banane und Avocado.
Görlitz, Weberstr. 2
cafe-herzstueck.de **39**

HART & HERZLICH
Samtsofas und Plüschsessel sind nicht ihr Ding, bei den Törtchen, Pralinen und Macarons wird's dafür umso bunter. Konditormeister Niclas Wendler und Mirco Klug, gelernter Koch, kreieren in ihrer »Patisserie unplugged«, wie sie sie nennen, in einem puren Ambiente Naschereien, die fast zu schön sind, um sie zu essen.
Leipzig, Georg-Schumann-Str. 130
hartundherzlich-patisserie.com **40**

KING SIZE

Die Königlichen Paraderäume Augusts des Starken und das Porzellankabinett im Residenzschloss Dresden

www.skd.museum

Staatliche Kunstsammlungen Dresden

Freistaat SACHSEN

Die Beauftragte der Bundesregierung für Kultur und Medien

In der Dämmerung besonders schön:
Das Leipziger Gewandhaus ist ein
Stück Kulturgeschichte der DDR

41

Leipzig und Region

Lieber in eine Stadt, die rockt, als in eine mit Barock? Dann auf ins hippe Leipzig. Neben den vielen Kult- und Kulturstätten bietet die Stadt trendige Geschäfte und Freizeitspaß im Grünen: vom Zoo bis zur Wildwasseranlage

Gewandhaus

Er ist ein Blickfang, dieser Quader mit seiner Glasfassade, durch die das Wandgemälde des Innenraums durchschimmert. Das Gewandhaus steht zentral am Augustusplatz, vor ihm liegt der reich verzierte Mendebrunnen, neben ihm prangt der Neubau der Universität – an der Stelle, an der das DDR-Regime 1968 die Paulinerkirche gesprengt hatte. Anders als die multifunktionalen Kulturpaläste der DDR ist das 1981 eingeweihte Gewandhaus ein **reines Konzerthaus.** Und was für eins!

Der große Saal ähnelt mit den kreisförmig um die Bühne gruppierten Sitzen einem minimalistisch-skulpturalen Amphitheater. Spielt das Gewandhausorchester, umhüllt der Klang das Publikum wie eine warme Decke. Das Ensemble, das auch in der Oper und in der Thomaskirche spielt, wurde bereits 1743 gegründet. Sein bekanntester Kapellmeister war Felix Mendelssohn Bartholdy, dessen Tod sich 2022 zum 175. Mal jährt. ✪ *Leipzig, Augustusplatz 8, gewandhausorchester.de*

Durch
LEIPZIG
mit *Lisa*
Angermann

*Lisa ist »Frieda«, denn so heißt ihr Sternelokal. Die 31-Jährige lernte ihr Hand-
werk in erlesenen Restaurants, gewann in der Kochshow »The Taste« und
machte sich 2019 selbstständig. Uns zeigt sie, wo man in Leipzig das Leben genießt*

43 DANKBAR

Dieser kleine Laden ist ein absoluter Wohlfühlort. Er hat sensationell guten Kaffee, eine lebendige Atmosphäre und historisches Flair. Das Café liegt in einer ehemaligen Fleischerei, die ursprüngliche Glasdecke ist noch erhalten und unbedingt sehenswert.

🍴 Jahnallee 23
instagram.com/dankbarleipzig

42 FRIEDA

Das »Frieda« ist eine ehemalige Brasserie mit einer modernen, ruhigen Optik, die gleichzeitig zeitgemäß minimalistisch und farbenfroh ist. Als Küchenchefin kombiniere ich lokale und regionale Produkte mit einer Prise Exotik, zum Beispiel Knollensellerie, schwarze Walnuss und Kaffeeöl oder Lammrücken gewürzt mit fermentiertem Miso-Knoblauch. Jeden Monat kreieren wir ein neues »Frieda en vogue Menü«, das man in einer 5-,6- oder 7-Gänge-Variante wählen kann. Dazu präsentieren unsere Bedienungen sympathisch und kenntnisreich die passenden Weine.

🍴 Menckestr. 48-50, frieda-restaurant.de

MEIN PERFEKTER TAG

Croissants besorgen im »Backstein«, Mittagessen im »Salumeria« und auf einen feinen Wein ins »Renkli«

44 MORGENS

Meine Lieblingsbäckerei liegt zwischen den monumentalen Gebäuden des Musikerviertels: das Backstein. Man muss Zeit mitbringen, dort ist immer eine Warteschlange. Kein Wunder, sie haben nämlich richtig gutes Sauerteigbrot. Zum Frühstück am besten Croissants oder Focaccia holen.

🥐 Grassistr. 4, backstein.pm

45 MITTAGS

In der alten Likörfabrik ist die Salumeria Italiana mein Lieblingsgenussladen. Sie haben eine wahnsinnige italienische Frischetheke, aromati- sche Soßen und fantastische Pasta. Und das Beste: der Mittagstisch. Da kann man sich durchs Sortiment probieren!

🍴 Prellerstr. 54A
salumi.de

46 NACHTS

Fatih Demirbas, der Eigentümer der Weinbar Renkli, sagt immer, er habe Leipzig beigebracht, Wein zu trinken. Und er hat recht. Er hat den Weingenuss für junge Leute salonfähig gemacht. Dort treffen sich aber auch ganz gern die Gastronomen der Stadt.

🍷 Karl-Liebknecht-Str. 2
facebook.com/renkli.
weinundangst

47

WACKELTURM

Ich kann den Aussichtsturm im Rosental zu Fuß erreichen. Er steht auf einem Hügel, der im 19. Jahrhundert aus Hausmüll entstand und begrünt wurde. Von ganz oben hat man eine herrliche Aussicht auf den Park und die Leipziger Skyline, und wenn es windet, schaukelt er mit den Baumwipfeln.

⭐ *Marienweg, leipzig.travel*

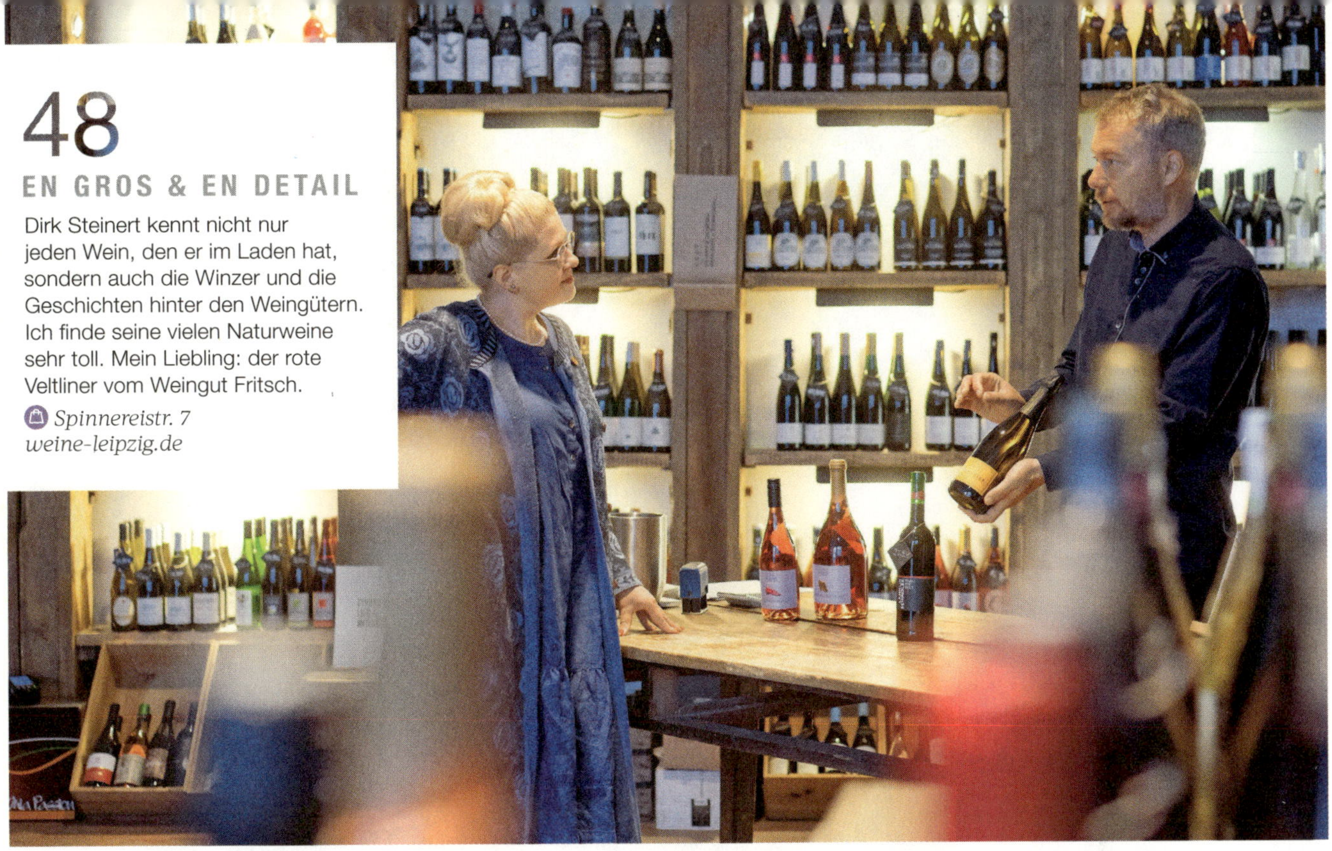

48
EN GROS & EN DETAIL

Dirk Steinert kennt nicht nur jeden Wein, den er im Laden hat, sondern auch die Winzer und die Geschichten hinter den Weingütern. Ich finde seine vielen Naturweine sehr toll. Mein Liebling: der rote Veltliner vom Weingut Fritsch.

🏠 *Spinnereistr. 7*
weine-leipzig.de

49
Buntgarnwerke

Das Industriedenkmal an der Weißen Elster stammt aus der Gründerzeit und ist für mich eines der schönsten und beeindruckendsten Gebäude der Stadt. Man kann gar nicht glauben, dass dieser rot-weiße Klinkerbau als Industrieanlage errichtet wurde. Die schönste Perspektive hat man vom Kanu aus, weil sich die Anlage auf beiden Seiten des Flusses erstreckt.

✪ *Nonnenstr. 17-21*
buntgarnwerke.de

50
Wildpark

Er ist ein Leipziger Klassiker: der Wildpark am Rande des Auwalds. Man sieht dort Rehe, Wildschweine, Füchse und ein paar andere Tiere, die es in unserem Wald nicht gibt, aber woanders in Deutschland schon. Man kann Rundgänge mit einem Förster machen, bei denen auch Schaufütterungen stattfinden. Ich mache hier meist auf dem Weg zum Cospudener See einen Zwischenstopp.

✪ *Koburger Str. 12a*
wildparkverein-leipzig.de

51
VÖLKERSCHLACHT-DENKMAL

Dieses Denkmal im Süden der Stadt erinnert an die Völkerschlacht von 1813. Man kann darin eine Ausstellung besuchen und von der Plattform oben die Aussicht genießen. Die meisten Menschen finden es wuchtig mit seiner riesigen Glockenform, mit den überlebensgroßen Kriegern und dem Teich davor. Für mich ist es vor allem bei Sonnenuntergang ein sehr schöner Ort zum Verweilen.

✪ *Straße des 18. Oktober 100*
stiftung-voelkerschlachtdenkmal-leipzig.de

Mitten im Backstein prangt
Niemeyers Sphere, gebaut aus
Sichtbeton und mit dimmbaren
Fenstern aus Flüssigkristallen

NIEMEYER SPHERE

Sind Aliens in Leipzig gelandet? Keine Sorge: Diese geniale Kugel ist ein Restaurant und der letzte Coup des Architekten Oscar Niemeyer

52

Kulinarik-Kugel

Von außen wirkt sie, als stamme sie aus einer anderen Galaxie: die weiße, teilverglaste Kugel, die auf dem alten Kesselhaus thront. Die Niemeyer Sphere entstand nach einem der letzten Entwürfe des brasilianischen **Stararchitekten Oscar Niemeyer** (1907-2012) und beherbergt das Restaurant »Céu Dining«. An ausgewählten Tagen kann man hier nach Voranmeldung brasilianische Gerichte speisen und die Aussicht über die industriell geprägte Landschaft des Leipziger Westens bestaunen. Innen warten auf Besucher eine warme, beruhigende Atmosphäre und eine Einrichtung mit klarer, strukturierter Formensprache. Die Kugel scheint mit ihrem Mittelpunkt in zwölf Meter Höhe über dem Gebäude des Maschinenbaubetriebs Kirow Ardelt zu schweben. Dessen Gesellschafter Ludwig Koehne war nach einer Reise durch Brasilien begeistert von Niemeyers Architektur, schrieb ihm einen Brief und wurde vom Architekten 2011 eingeladen. Nach dessen Tod setzte Niemeyers Büro den Entwurf zusammen mit dem Leipziger Architekten Harald Kern um. Im Juli 2020 wurde die Niemeyer Sphere eröffnet. Es ist neben dem Wohnhaus im Berliner Hansaviertel das einzige Gebäude des Brasilianers in Deutschland. Wer keinen Platz auf der langen Warteliste des »Céu Dining« ergattert: Küchenchef Tibor Herzigkeit kocht auch für das Restaurant »Kirow Kantine« gleich nebenan.

 Leipzig, Niemeyerstr. 2-5
technesphere.de/niemeyer-sphere

WESTWERK

Kaiserbad und Catwalk direkt am Karl-Heine-Kanal

53

Einer der besten Orte um das Wochenende einzuläuten, ist das Westwerk. In der alten Eisengießerei haben heute Künstler ihre Ateliers, Besucher können in diesem Komplex aber auch auf kulinarische Weltreise gehen. Neben dem wirklich guten **Restaurant Kaiserbad** (Foto), in dem man bei gutem Wetter auch lauschig draußen sitzen kann, stehen immer wieder andere Foodtrucks (georgische oder sri-lankische Gerichte!) auf dem Gelände. Nach dem Essen kann man im Billard-Salon »Mensa« eine flotte Kugel schieben oder einfach mit einem Getränk am Bordstein cornern und den jungen Menschen auf der Karl-Heine-Straße, dem Catwalk des Leipziger Westens, zuschauen.

Leipzig, Karl-Heine-Str. 85–93
westwerk-leipzig.de

CLUBS ZUM WEITERFEIERN

54 **TÄUBCHENTHAL**

In der früheren Spinnerei mischt sich der Charme der Boheme mit rauer Industriekultur.

Leipzig. Wachsmuthstr. 1
taeubchenthal.com

55 **FELSENKELLER**

Im Ballsaal, wo einst Rosa Luxemburg sprach, wird heute diskutiert, getanzt und Kino gemacht.

Leipzig, Karl-Heine-Str. 32
felsenkeller-leipzig.com

MEISTERZIMMER

Wer in der Baumwollspinnerei wohnt, ist umgeben von Kreativen

56

Viel Licht fällt durch die Sprossenfenster der früheren Baumwollspinnerei in Leipzig-Neulindenau, als wollte die Sonne ein Schlaglicht auf die Kunstwerke werfen, mit denen die Apartments der Pension »Meisterzimmer« eingerichtet sind: eine Fotografie von Falk Haberkorn etwa oder Lampen, die einmal Trommeln waren. Zugleich erinnern die Klinkerwände und Rohre, die über Putz verlaufen, daran, dass hier bis 2002 noch die Garnproduktion im Schichtbetrieb lief. Die heutigen Inhaber der Pension, Manfred Mülhaupt und Jana Gunstheimer, nutzten schon in den 1990er Jahren das »Meisterzimmer 1« als Wohnatelier und genossen mit anderen jungen Künstlern den Freiraum und die Atmosphäre des Neubeginns. In den Nullerjahren, erzählt Mülhaupt, gestalteten sie es in ein Zimmer für Touristen

um, und weil es so viel Spaß machte, Gäste zu empfangen, richteten sie noch drei weitere für bis zu vier Personen her. Wer hier übernachtet, wohnt im **Herzen der Leipziger Kunstszene.** Denn auf dem vier Fußballfelder großen Gelände haben weiterhin viele Künstler ihre Ateliers, darunter Hans Aichinger und Tilo Baumgärtel, und es kann gut sein, dass man Neo Rauch begegnet, wenn der mit dem Fahrrad zur Arbeit fährt. Die Ateliers sind nicht öffentlich, doch es gibt Spinnerei-Rundgänge, Galerien, Ausstellungsräume – etwa für die jährliche Schau der Leipziger Hochschule für Grafik und Buchkunst –, Workshops und das Café-Restaurant »Mule« mit jungen, internationalen Köchen. Die alte Spinnerei ist eben noch immer ein Hafen für Kreative.
🔵 *Leipzig, Spinnereistr. 7, meisterzimmer.de*

HAFEN

Auf der Suche nach (noch) mehr Stil? Gehen Sie doch mal hier vor Anker

»Botschaft der schönen Dinge« könnte dieser wunderbare Laden auch heißen, in dem man vieles findet, was das **Zuhause und das Leben bereichert:** besondere Vasen, vegane Parfüms, Schokolade aus Leipziger Produktion, Feelgood-T-Shirts, hübsche Taschen. Inhaberin Swantje Worm spricht mit ihrer Auswahl so ziemlich alle Sinne an. Es gibt Lakritze für Feinschmecker, Platten Leipziger Musiker für die Audiophilen und Bücher, die nicht nur gut aussehen, sondern sich auch so anfühlen. Das Highlight sind die Kreationen der Leipziger Spirituosenmanufaktur: famoser Minz- und Johannisbeerlikör, umwerfender Wodka und fassgereifter Gin. Becher kann man natürlich gleich kaufen und am besten auch ein paar schöne Kissen, um bequem vor dem Westwerk zu cornern, das wenige Häuser weiter steht.

🏠 *Leipzig, Karl-Heine-Str. 75*
hafen-leipzig.de

WEITERSHOPPEN

58 PANTA PANTA

Neben Übertöpfen samt Pflanzen bekommt man hier selbst designten Schmuck und Illustrationen.

🏠 *Leipzig. Zschochersche Str. 55, instagram.com/pantapanta_store*

FOTOS: ISABELA PACINI, LUKAS SPÖRL

NIKOLAIKIRCHE

Zwei große Gotteshäuser stehen im Zentrum der Stadt.
Hier startete die friedliche Revolution

59

Es war der Mut weniger Menschen, der an dieser Stelle große Wirkung entfaltete und zum Anfang vom Ende der DDR führte. Die Werte der Kirche wurden 1989 auf die Straße getragen: 70 000 Menschen forderten Frieden und Freiheit. An die Wende zum Guten der deutsch-deutschen Geschichte erinnert heute eine Säule auf dem Kirchhof, die den frühklassizistischen Palmbaumsäulen gleicht, die als Stützen **im Hauptschiff der ursprünglich spätgotischen Kirche** stehen. Die Nikolaikirche ist neben der Thomaskirche Leipzigs ältestes Gotteshaus, sie wurde im 12. Jahrhundert errichtet. Nicht, wie früher üblich, für ein Kloster, sondern für die Bürger. Viele Male wurde sie umgebaut, ihre heutige Form erhielt sie im späten 18. Jahrhundert von Johann Carl Friedrich Dauthe. Er entwarf nicht nur die Säulen, sondern stattete das Gewölbe neu mit Kassetten aus.

⭐ *Leipzig, Nikolaikirchhof 3*
nikolaikirche.de

BARFUSZ

Willkommen im Epizentrum der Leipziger Kneipenszene

60

Es lässt sich darüber streiten, wann der beste Zeitpunkt ist, um im »Barfusz« einzukehren. Dass man hingehen muss, steht allerdings außer Frage. Das Restaurant liegt in der gleichnamigen Gasse, im ältesten Teil der Leipziger Altstadt – der trotzdem ziemlich lebendig ist dank der Kneipen, Restaurants und Bars, die sich in den eng aneinander geschmiegten Gebäuden aus Renaissance, Barock und Gründerzeit befinden. Eine dieser Bars ist das »Barfusz«. Es gibt Menschen, die schwören, dass man nirgends besser frühstücken kann als hier: Es gibt englische Baked Beans, italienischen Parmaschinken, französische Croissants und Krustenbraten auf Rosenkohl. Kinder unter sieben Jahren schlemmen kostenlos. Andere schwören auf den hauseigenen Barfusz Burger, dessen geheime Zutat

eben genau das ist: geheim. Wieder andere verbringen ihre Abende lieber mit einem Cocktail in der Lounge in der ersten Etage. Hier kreieren die Barkeeper mit Experimentierfreude auch eigene Drinks, wie den »Barfusz Dream«, eine Mischung aus Gin, Aperol, Pfirsichsirup, Grapefruit- und Limettensaft sowie Prosecco. Jetzt ist man **mittendrin im Trubel der Kneipenmeile** und kann trotzdem ausgezeichnet zusammen chillen. Währenddessen spielen im Dachgeschoss die Künstler des Leipziger Central Kabaretts im Blauen Salon auf. Mal verzaubern Magier das Publikum, mal Burlesque- oder Travestiekünstler*innen. Und an anderen Abenden kämpft man mit dem Essen, weil die Dinnershow so lustig ist.

Leipzig, Markt 9, barfusz.de

ZOO LEIPZIG

Der Tierpark lockt mit niedlichem Nachwuchs und exotischen Landschaften

61

Hier leben die wildesten Bewohner Sachsens: Wer den Giraffen oder ihren zahlreichen Nachbarn im Leipziger Zoo einen Besuch abstattet, kann auf Selfies den Eindruck erwecken, er befinde sich in der afrikanischen Savanne. Einzigartig macht den Tierpark jedoch »Gondwanaland«, benannt nach dem Superkontinent, der sich im Laufe der Zeit in Amerika, Afrika, Australien, Indien, die Arabische Halbinsel, den Balkan, Madagaskar und die Antarktis aufsplitterte: Große Palmen ragen dort auf, Orchideen zeigen ihre imposanten Blüten, Affen springen herum. In diesem **größten Regenwald Deutschlands** leben 170 exotische Tierarten wie Komodowaran, Zwergflusspferd und Schabrackentapir sowie mehr als 24 000 Pflanzen von Ylang-Ylang bis zur Elefantenohr-Feige. Verschlungene Wege führen durch den Dschungel, wer mag, kann es den Affen gleichtun und sich auf einem Pfad zwischen den Baumwipfeln bewegen. Vergangenes Jahr ist jede Menge passiert im Leipziger Zoo: Das altehrwürdige Aquarium wurde nach zweijähriger Modernisierungsphase wieder eröffnet. Die Amurleoparden, von denen es weltweit nur noch rund 100 Tiere in freier Wildbahn gibt, haben Nachwuchs bekommen und ein kleiner Orang-Utan kam zur Welt. Darüber freuen sich die Wissenschaftler des Max-Planck-Instituts für evolutionäre Anthropologie, die hier das Verhalten der Menschenaffen erforschen. Und 2022? Wird an einer neuen Landschaft gebaut, die bald eröffnet werden soll: In der Wasserwelt »Feuerland« werden Pinguine und Seelöwen leben.
⊛ *Leipzig, Pfaffendorfer Str. 29, zoo-leipzig.de*

62

Im Wellenrausch

Mann über Bord! Das kann Ihnen hier durchaus passieren, gehört aber zum Spaß dazu: Mit einem Guide und geschützt durch Helm und Schwimmweste rauscht man durch die **Stromschnellen und Strudel** des Kanuparks Markkleeberg südlich von Leipzig. Ob zusammen im Schlauchboot oder solo im Kajak, auf dem Surfbrett oder Bodyboard: Hier findet jeder die perfekte Welle. Auch deshalb sollte man im Sommer unbedingt reservieren. Die moderne Wildwasseranlage, gebaut für die Bewerbung um die Olympischen Spiele 2012, liegt südöstlich des Markkleeberger Sees, aus dem sie gespeist wird, und bietet jede Menge Action. Wer's ruhiger mag, geht zur Wassersportschule All-on-Sea nebenan, die auch Kanus verleiht. Von hier aus kann man, etwa mit einer geführten Tour, über den 179 Fußballfelder großen See gleiten – ganz ohne abzutauchen.

⭐ *Markkleeberg, Wildwasserkehre 1
kanuparkmarkkleeberg.com*

PER RAD UND ZU FUSS

63   NEUSEENLAND-ROUTE

Die ca. 100 Kilometer lange Strecke führt an neun Seen im Leipziger Umland vorbei.
⭐ *Start: z.B. Markkleeberg, Auenhainer Straße, sachsen-tourismus.de*

64   HEIDE-BIBER-TOUR

Zwischen Bad Düben und Bad Schmiedeberg liegen die Burgen der Nager.
⭐ *Start: Naturparkhaus, Bad Düben, Neuhofstr. 3a. naturpark-duebener-heide.de*

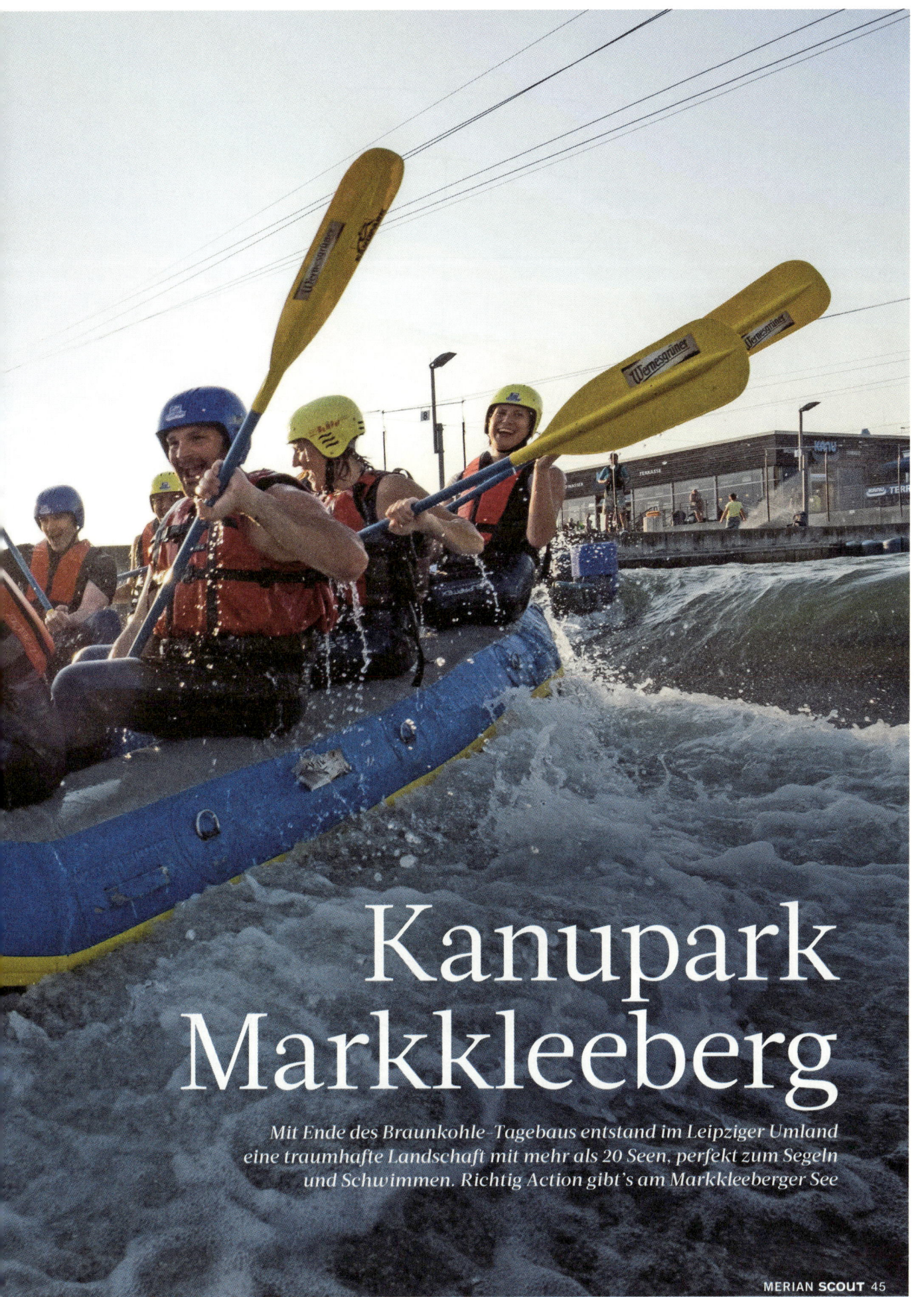

Kanupark
Markkleeberg

*Mit Ende des Braunkohle-Tagebaus entstand im Leipziger Umland
eine traumhafte Landschaft mit mehr als 20 Seen, perfekt zum Segeln
und Schwimmen. Richtig Action gibt's am Markkleeberger See*

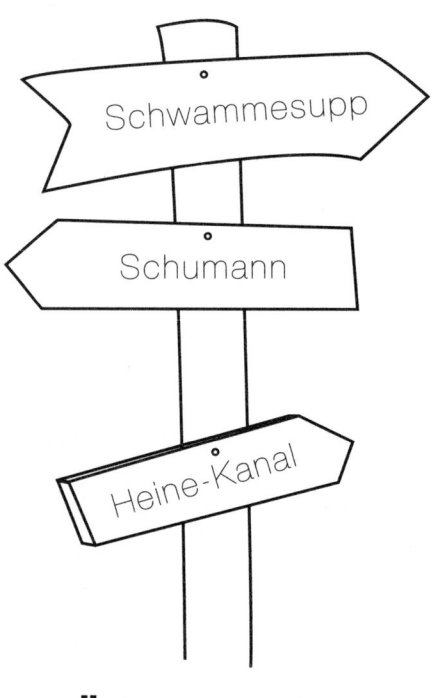

FÜHRUNGEN

Wo in Görlitz standen Jude Law und Kate Winslet vor der Kamera? Wo komponierten die großen Musiker in Leipzig? Oder lieber was Sportliches? Was Kulinarisches? Unsere Tipps für Touren

KULTUR UND KULINARIK

LEIPZIGER NOTENSPUR

Mendelssohn, Schumann, Wagner, Bach: Große Komponisten haben in der Stadt gelebt. Die Route verbindet mit 23 Stationen ihre Wirkungsstätten und andere musikalisch bedeutsame Orte.

Leipzig, Start: Gewandhaus, Augustusplatz 8, notenspur-leipzig.de **65**

FILMSTADT GÖRLITZ

Jude Law besuchte die Stadt beim Dreh von »Grand Budapest Hotel«, Kate Winslet war für »Der Vorleser« hier, und Jackie Chan sprang für »In 80 Tagen um die Welt« aus dem »Hotel Emmerich« auf den Untermarkt. Diese Führung verrät alles über die Promis in »Görliwood«.

Görlitz, Start: Obermarkt goerlitz-tourismus.de **66**

BROTZEITTOUR

Vermutlich werden Sie bei dieser Wanderung durch die Sächsische Schweiz nicht alle Kalorien verbrauchen, die Sie unterwegs zu sich nehmen. Guide Kristin Arnold

organisiert Brot, Wurst und Käse aus Betrieben der Region.

Start z.B. zum Adamsberg ab Elbkai Bad Schandau, brotzeittour.de **67**

KULINARIKTOUR

Auf der Zehn-Kilometer-Strecke zum Fichtelberg führt Jana Kowarik zu vier Gastronomen, die Spezialitäten wie erzgebirgische Schwammesupp (Pilzsuppe) servieren.

Oberwiesenthal, Breite Gasse 4 ski-und-sport.de **68**

— **69** *Hightech* —

ZEITREISE

Auf dem Spaziergang erscheint Dresdens Altstadt per Virtual-Reality-Brille wie zur Zeit des Barock und anderer Epochen: Man hört Kutschen fahren, sieht Menschen in historischen Gewändern.

Dresden, Start: Taschenberg 3 timeride.de

SPORTLICH

KANUTOUR

Wer der sechs Kilometer langen Strecke vom Stadthafen zum Karl-Heine-Kanal folgt, lernt Leipzig vom Wasser aus kennen und erhält auch spannende Einblicke in die Villengärten, die einmal illustren Leipziger Familien wie dem Verleger Baedeker und dem Unternehmer Heine, nach dem der Kanal benannt wurde, gehörten. Zum Abschluss gibt's einen Drink an der Strandbar.

Leipzig, Start: Stadthafen stadthafen-leipzig.com **70**

DRESDEN PER RAD

Die Strecke (15 Kilometer) vereint Highlights der Altstadt wie Frauenkirche und Semperoper, führt aber auch in den Villenvorort Blasewitz, zur Brücke Blaues Wunder und zu Pfunds Molkerei in der Neustadt. Kein eigenes Rad dabei? Kein Problem, man kann für die Tour eins ausleihen.

Dresden, Start: Königsbrücker Str. 4a, kennst-du-dresden.de **71**

ILLUSTRATION: LENA GLAUCHE

Graffiti-Hotspot Chemnitz: »Brich aus!« von Tasso und Guido Günther (Gustav-Freytag-Straße) ist Teil des Mural Trails

72

Chemnitz und Zwickau

Früher Tristesse, heute bunte Platte: Chemnitz wird 2025 Kulturhauptstadt. Schon jetzt zeigen Street-Art und Museen, dass sich ein Besuch lohnt. Mit Kultur lockt auch Zwickau im Südwesten

Mural Trail

Als Guido Günther mit 14 begann, seine Heimatstadt Chemnitz mit Graffiti zu verschönern, waren seine Eltern wenig begeistert. »In den wilden 90ern war das«, sagt er. Heute gehört er zu den gefragtesten Street-Art-Künstlern der Region und sorgt dafür, dass Chemnitz immer bunter wird. Zusammen mit anderen kreiert er seit 2019 den stetig wachsenden »Mural Trail«: eine **öffentliche Kunstroute** rund um den Brühl mit etwa 150 beeindruckenden Graffiti, die teils mehrstöckige Häuserblocks zieren.

Die Idee entstand mit der Bewerbung um den Titel Kulturhauptstadt Europas 2025. Wo die Werke zu finden sind und welche Künstler mitgewirkt haben, darunter Tasso aus dem Erzgebirge, das Berliner Duo Peachbeach und SatOne aus München, erfährt man in der App »Mural Trail«, die Günthers Künstler-Netzwerk Rebel Art entwickelt hat. Lust, selbst einmal zu sprayen? Rebel Art zeigt in Workshops, wie man sprüht – ganz legal versteht sich. ⭐ *Chemnitz, Start: Zöllner Platz 1, muraltrail.de*

Quer durch CHEMNITZ
mit *Malte Ziegenhagen*

Dürfen wir vorstellen? Malte Ziegenhagen, 30, spielt Basketball beim Bundesligisten »Niners Chemnitz«. Er mag die Szenelokale und Sportstätten der Stadt und lebt mit seiner Familie auf der Sonnenseite. Pardon: auf dem Sonnenberg natürlich

73

SPORTANLAGE KONKORDIAPARK

Hier kommen Kinder, Jugendliche und Sportler gleichermaßen auf ihre Kosten. Herz der Outdoor-Fitnessanlage westlich vom Schlossteichpark sind die miteinander verbundenen Skaterpools. Als Basketballer mag ich aber natürlich besonders den Streetball-Platz, wo ich gern mit Kumpels ein paar Körbe werfe. Andere treffen sich zum Kicken auf dem Bolzplatz, ziehen zur Graffitiwand oder zum Kletterfelsen. Auf jeden Fall ist immer viel los, und man bleibt nicht lang allein.

⊛ *Konkordiastr. 5, chemnitz.de*

74 HERR FERDINAND KAFFEEHAUS

Gleich in meiner Nachbarschaft auf dem Sonnenberg gibt es österreichische Küche vom Feinsten: Tafelspitz mit Röstkartoffeln, Tiroler Gröstl und leckere Desserts. Da fühlt man sich gleich wie im Mini-Urlaub in den Alpen.

🍴 *Hainstr. 49*
herrferdinand.com

MEIN PERFEKTER TAG

...führt vom Sonnenberg bis ins Zentrum, beginnt mit gutem Kaffee und endet mit einem »Moscow Mule«

500 m

©Mapcreator | OSM.org

75 MORGENS

Der Brühl-Boulevard im Zentrum der Stadt wird immer mehr zur Szenestraße. Das liegt zum Beispiel an tollen Läden und Cafés wie dem **Dreamers Coffee & Wholefood**, wo man hervorragend brunchen gehen kann. Es gibt hier wunderbaren Kaffee und frische Bio-Produkte. Viele davon stammen von Produzenten aus der Region.

🍴 *Brühl 73, dreamers-cafe.de*

76 MITTAGS

Eigentlich ist **Peacefood** ein Unverpackt-Laden, in dem man seinen plastikfreien Wocheneinkauf erledigen kann. Bei der Gelegenheit genieße ich aber oft noch einen veganen Kuchen im dazugehörigen Bistro.

🛍 *Uhlandstr. 30*
peacefood-chemnitz.de

77 NACHTS

Der Tag endet, wo er begonnen hat: auf dem Brühl. Gegenüber vom »Dreamers« liegt die **Balboa Bar**, wo sich viele Studenten auf ein Bier treffen und ich selber gern mit einem »Moscow Mule« – einem Wodka mit Limettensaft, Ginger Beer und Gurke – auf den Feierabend anstoße.

🍸 *Zöllnerstr. 33, instagram. com/balboa_chemnitz*

78

HAAMIT PAPETERIE

Der Kaßberg ist ein Gründerzeit-
viertel mit allerlei netten Cafés
und Geschäften, allen voran die
»Haamit Papeterie«. Hier bekommt
man neben Schreibwaren auch
Geschenkartikel, Ledertaschen,
Geschirr, Lampen im Industrie-Look
und wunderschöne Notizbücher.
Es lohnt sich, etwas Zeit mitzu-
bringen und einfach zu stöbern.

Weststr. 67, haamit.com

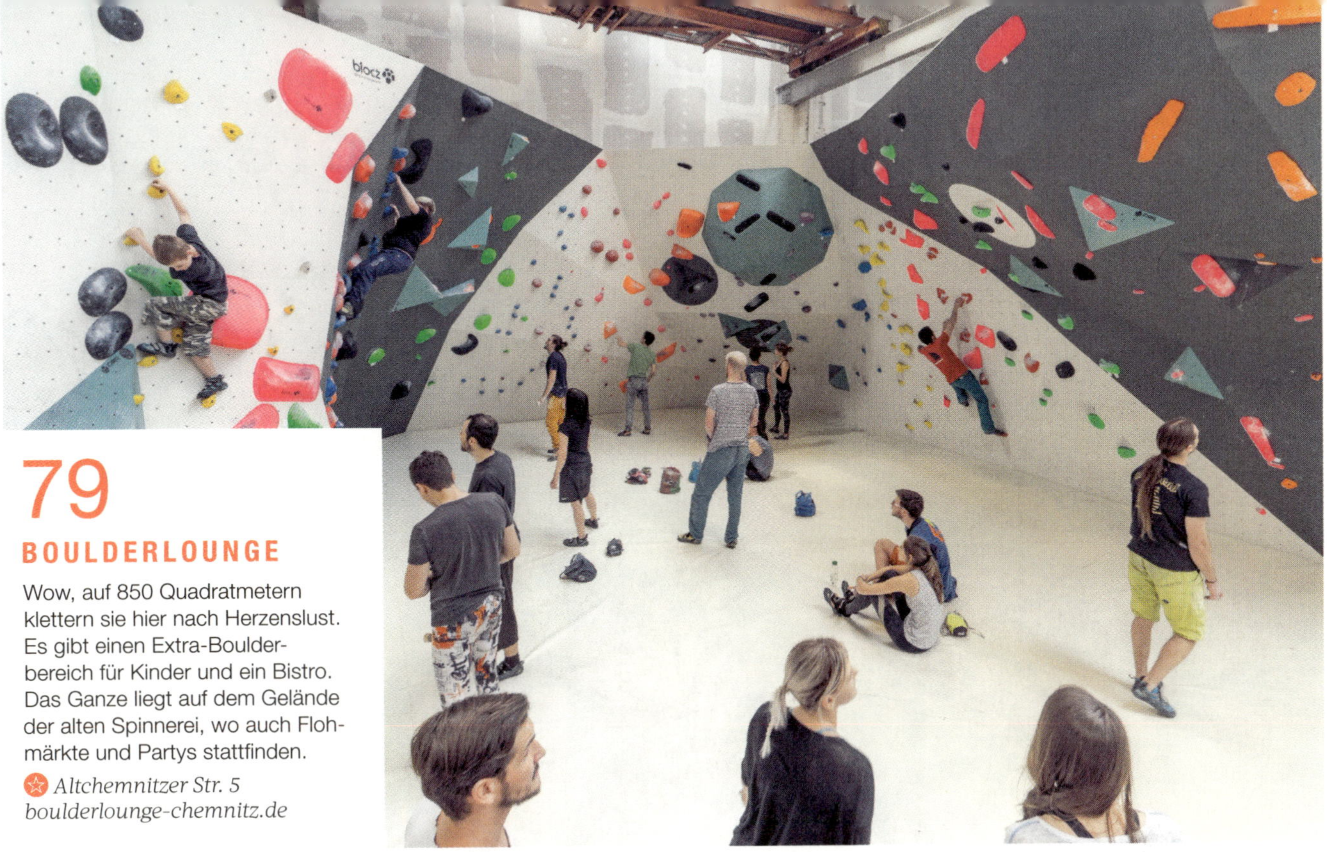

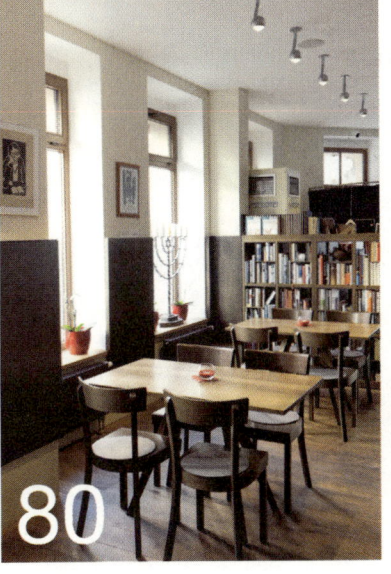

79 BOULDERLOUNGE

Wow, auf 850 Quadratmetern klettern sie hier nach Herzenslust. Es gibt einen Extra-Boulderbereich für Kinder und ein Bistro. Das Ganze liegt auf dem Gelände der alten Spinnerei, wo auch Flohmärkte und Partys stattfinden.

Altchemnitzer Str. 5
boulderlounge-chemnitz.de

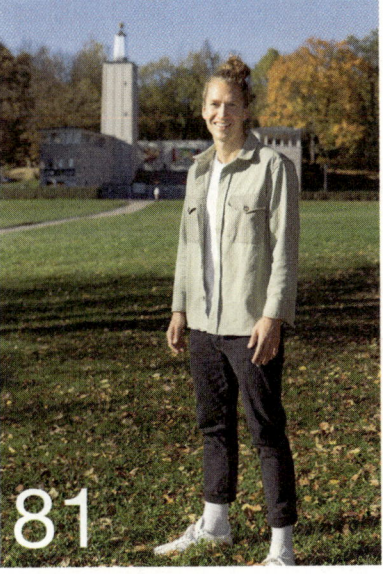

80 Schalom

Am besten geht man mit Freunden hierher, denn dann kann man viele verschiedene israelische Tapas bestellen und teilen: Avocadosalat mit Thunfisch, Gefilte Fisch, eingelegte Rote Bete, Paprikaschoten, Hummus, Couscoussalat und viele andere Spezialitäten, die mit Pita-Brot serviert werden. Dazu gibt es israelischen Wein oder koscheres Simcha-Bier vom Fass.

Heinrich-Zille-Str. 15
schalom-chemnitz.de

81 Küchwaldpark

Mein bevorzugtes Ziel für Familienausflüge. Besonders herrlich ist die große Wiese, wo man auch bei gutem Wetter immer genug Platz für ein Picknick und eine Runde Frisbee findet. Größere Kinder können auf dem Abenteuerspielplatz toben und mit der Parkeisenbahn fahren. Außerdem lohnt sich der Besuch im Kosmonautenzentrum Sigmund Jähn. Schon von Weitem sieht man die weiße Rakete über die Baumkronen ragen.

kuechwald.de, solaris-fzu.de

82 MAROON BAR

Das ist für mich ein ganz besonderer Ort, denn hier habe ich meine Frau Mary kennengelernt. Aber auch sonst stimmt einfach alles: gemütliches Interieur, die Mitarbeiter sind echte Könner, daher bekommt man hervorragende Cocktails. Kürzlich hat mir der Barkeeper einen tollen »Pisco Sour« serviert, ein Getränk, das ich aus Südamerika kenne. Und meine Frau trinkt am liebsten einen »Strawberry Daiquiri«.

Ulmenstr. 16, maroon-bar.de

FOTOS: GEORG KNOLL (6), HERR FERDINAND, BOULDERLOUNGE CHEMNITZ; KARTENILLUSTRATION: JOCHEN SCHÄFERS

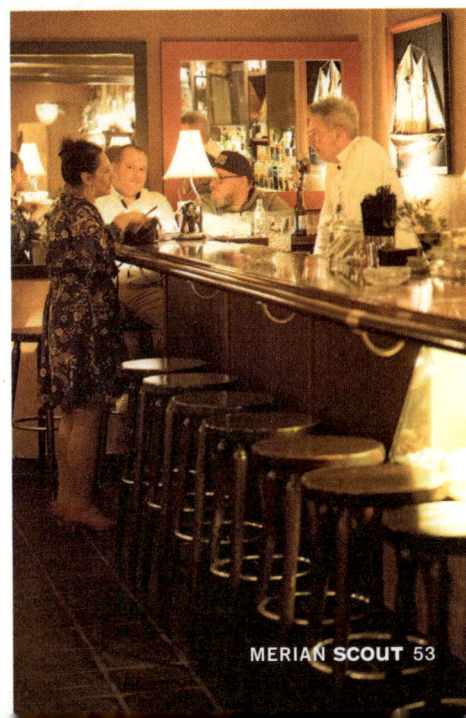

Germens Fashionstore

Wer große Auftritte hinlegen will, braucht womöglich ein neues Hemd

Man(n) muss schon selbstbewusst sein, um die Mode von René König zu tragen. »Unsere Hemden sind nicht bloße Bekleidung, sondern Hingucker«, sagt der Inhaber des »Germens Fashionstore« im Chemnitzer Stadtviertel Siegmar. »Oft erzählen mir meine Kunden, dass sie damit auf Partys oder Veranstaltungen gleich im Mittelpunkt des Gesprächs standen.« Vor rund zehn Jahren hat König gemeinsam mit dem Künstler Gregor-Torsten Kozik die Marke Germens gegründet, die er als **»tragbare Kunst«** bezeichnet. Manche seiner Hemden (ca. 230 Euro) kommen mit geometrischen Formen daher – so zum Beispiel der Entwurf der Leipziger Künstlerin Ari Fuchs, den König auf unserem Foto trägt. Andere werden von floralen Mustern oder abstrakten Zeichnungen geziert. Gemeinsam ist

allen Modellen, dass sie von verschiedenen Künstlern aus dem In- und Ausland entworfen wurden und in detailverliebter Handarbeit in Sachsen gewebt, bedruckt und veredelt werden. 75 Künstler haben bislang rund 400 Designs entworfen, die Anzahl hat König bei Langarmhemden auf je 99 Stück limitiert. »Jedes Stück erzählt seine eigene Geschichte«, sagt er, allen gemein ist, dass sie unkonventionell sind. Im Laufe der Zeit hat König sein Sortiment um T-Shirts und Damenblusen erweitert, bald kommen Hosen, Jacken und Bettwäsche hinzu. Zu seinen prominenten Fans gehören etwa die Schlagergruppe »Amigos« oder Formel-1-Moderator Kai Ebel. Männer mit großem Sendungsbewusstsein halt.

🛍 *Chemnitz, Oberfrohnaer Str. 30, germens.shop*

FOTO: MAIK BÖRNER

Theater Komplex

Die kleine, aber mutige Bühne gehört zu den wichtigsten Kulturorten der Stadt

84

Die intime, interaktive Atmosphäre der Off-Bühne ist auch ihrer Location geschuldet: Sie hat ihre **Räume in einer früheren Freikirche** auf dem Sonnenberg, gerade 80 Leute passen in den Zuschauerraum. Gezeigt werde »ein vielfältiges und experimentelles Programm«, sagt Robert Verch, Vorstand des Kulturvereins Klub Solitaer, unter dessen Dach das Komplex zu Hause ist. »Wir haben aber kein eigenes Ensemble, sondern bieten es als Raum für Gastspiele an.« Zum Beispiel für die tschechische Künstlergruppe MIME Prague, die mit ihrem Pantomimestück »FOLK YOU!« zu Besuch war (Foto). Oft entsteht das Programm in Zusammenarbeit mit dem Verein Taupunkt, der den Austausch von Chemnitzer Künstlern mit der internationalen Kulturszene pflegt.
✴ *Chemnitz, Zietenstr. 32, chemnitzkomplex.de*

MENSCHEN, BIERE, EMOTIONEN

85 **LOKOMOV**

Zum Klub Solitaer gehört auch die Bar »Lokomov« – eine alternativ geprägte Schankstätte mit Biergarten, die Events rund um Literatur, Kunst, Film und Musik veranstaltet. Das große u-fömige Haus, in dem sie liegt, sollte abgerissen werden und ist seit 2012 ein Zuhause für Kulturtreibende und sozial engagierte Vereine.
🍸 *Chemnitz, Augustusburger Str. 102, klub-solitaer.de*

86

Menschenskinder!

Diese Zeitreise beginnt bei den Jägern und Sammlern vor rund 300 000 Jahren und endet in der frühen Industrialisierung. Gar nicht so einfach, so viele Jahre Menschheitsgeschichte unter einen Hut zu bringen. Doch dem Staatlichen Museum für Archäologie Chemnitz, kurz »smac«, gelingt das hervorragend. Dazu setzt das Museum, das 2014 in einem ehemaligen Kaufhaus eröffnet wurde, auf eine gekonnte Mischung aus **historischen Funden und moderner Informationsvermittlung.** Blickfang ist eine schwebende Sachsenlandkarte, die mit projizierten Bildern und Klängen durch die Kulturgeschichte führt. Oder der interaktive »Gläserne Neandertaler«, der die Unterschiede zum Homo sapiens zeigt. Wer sich einen Eindruck verschaffen will, findet auf der Website des Museums virtuelle Rundgänge und 3-D-Modelle ausgewählter Funde.

⭐ *Chemnitz, Stefan-Heym-Platz 1*
smac.sachsen.de

NACH DER AUSSTELLUNG

87 MIRAMAR

In dem schönen Biergarten auf dem Schloßberg würde man es unter 150 Jahre alten Kastanien mindestens ebenso lange aushalten. Gute regionale Küche.

🍽 *Chemnitz. Schloßberg 16*
miramar-chemnitz.de

88 AALTRA

Kneipe, Club, Biergarten: Das »aaltra« ist von allem was. Häufig treten Bands auf, im Sommer auch open air.

🍸 *Chemnitz. Hohe Str. 33*
aaltra-chemnitz.de

FOTO: GEORG KNOLL

Staatliches Museum für Archäologie

Die schier unendliche Geschichte des menschlichen Lebens : Das »smac« nimmt alle mit auf Zeitreise und beeindruckt mit archäologischen Funden und interaktiven Präsentationen

Gestern & heute: die mehr als 40 Meter lange »Alltagswand«

EMMAS ONKEL

Viel Bio- und keine Convenience-Produkte - das ist das Erfolgsrezept

Na klar ist Emma stolz – welches Mädchen kann schon von sich sagen, dass ein Café seinen Namen trägt? Mathias Weiß ist der Onkel der 16-Jährigen, und von dem schönen Namen seines Ladens einmal abgesehen, hat er noch eine Menge anderer guter Ideen: Bis 22 Uhr **bietet er warme Küche an, und zwar jeden Tag eine andere.** »Eine klassische Speisekarte haben wir nicht«, sagt Weiß, der seit 2014 das Café im Kaßberg betreibt, einem Viertel aus schönen Jugendstilbauten im Zentrum von Chemnitz. »Ich entscheide tagsüber, wonach mir ist, dann schaue ich, was die Saison hergibt, und das gibt's dann.« So werden Paprika-Tomaten-Curry mit gebackenem Panir oder vegetarische Buletten auf Linsenbasis mit Erdäpfelsalat auf der Tafel vor dem Tresen angekündigt. »Wir machen alles frisch, mit dem An-

spruch bin ich damals gestartet«, erzählt Weiß. »Wenn's nicht läuft, dann läuft es nicht, aber ich habe keinen Bock auf Convenience-Produkte.« Aber es läuft – in den Laden mit den großen Fenstern und den dunkelblauen Wänden kommen Leute aus dem ganzen Viertel, um zu essen – von Eltern mit Kindern über Studierende bis zu Rentnern von nebenan. Das liegt ganz bestimmt auch an den leckeren Kuchen wie Johannisbeer-Orangen-Tarte und Fenchel-Mürbegebäck: »Wir backen jeden Kuchen selbst, möglichst mit Zutaten in Bio-Qualität«, sagt Weiß. »Ich liebe Süßigkeiten und will selber einen ordentlichen Kuchen essen, und den will ich unseren Gästen auch anbieten.« Du kannst reintun, was du willst – die Liebe schmeckt man raus.

🍴 *Chemnitz, Weststr. 67, emmas-onkel.de*

DER FLEISCHLADEN

Sachsens schönstes Wurst-Case-Scenario

90

Wenn Michelle Nötzel könnte, würde sie sogar das Grunzen des Schweins in die Pfanne hauen. Mit ihrem Mitinhaber Eric Heim hat sie im Jahr 2019 den »Fleischladen« eröffnet, ein **Feinkostgeschäft mit Restaurant:** »Wir nutzen das ganze Tier, vom Muskelfleisch über die Innereien bis zu den Knochen«, sagt Nötzel. »Aus denen kochen wir einen Jus, den wir für Soßen verwenden. Was dann noch übrig bleibt, verarbeiten wir zu Salami oder Burger Patties.« Das Restaurant hat eine Mittags- und Abendkarte, in einer offenen Küche mit Glaswänden kocht das Team der jungen Köchin Hanna Lehmann, die vom Magazin »Der Feinschmecker« für ihr »großes Talent« gelobt wurde. Und wo kommen die Tiere her? »Unser Fleisch haben wir von Haltern aus der Region, die wir immer wieder besuchen«, erläutert Nötzel. »Die Tiere sollen Auslauf haben und natürlich ernährt werden, mit Gras, Rüben oder anderem Futter aus eigenem Anbau.« Die Komplettverwertung kommt gut an. »Wir veranstalten regelmäßig Menü-Abende, bei denen der Erzeuger anwesend ist und berichtet, wie er die Tiere hält«, sagt Michelle Nötzel. »Diese Abende machen wir immer wieder auch zum Thema ›Innereien‹, und die sind sehr gefragt.« Wer gutes Essen schätzt, aber kein Fleisch essen möchte, findet im Geschäft des Ladens noch viele andere Genüsse, darunter frischen Käse, herzhaftes Pesto aus dem Allgäu, feine Desserts und Schokoladen, außerdem Öle, Gewürze und Küchenaccessoires wie die »Fleischladen«-Messer-Edition.

Chemnitz, Hermannstr. 8, der-fleischladen.de

Johannisbad Zwickau

Erholsames Sightseeing: schwimmen im historischen Ambiente

91

Goldene Wassermänner, lichtdurchflutete Galerien, die von schmiedeeisernen Gittern gesäumt werden und ein drachenförmiger Wasserspeier: Im Johannisbad wird das Schwimmen glatt zur Nebensache. Auch wenn normalerweise wenige Städteurlauber auf die Idee kommen, bei einem Kurztrip ein öffentliches Schwimmbad zu besuchen, in Zwickau sollte man unbedingt eine Ausnahme machen. Ihren Ursprung hat die Badeanstalt 1869, als der Arzt Samuel Friedrich Julius Schlobig auf einem Grundstück an der Zwickauer Mulde zur Bekämpfung der Cholera eine Heil- und Badeanstalt errichten ließ, die 1904 durch das Schwimmbad erweitert wurde. Von außen fällt das Gebäude am Rand der Nordvorstadt mit seiner reich verzierten **backsteinernen Fassade im neogotischen Stil** ins Auge. Im In-

nern der dreigeschossigen Halle können Schwimmer mit jeder Bahn, die sie zurücklegen, neue Details entdecken. Hier sieht man vor allem Elemente des Jugendstils: farbige Kacheln, florales Dekor, Verzierungen an den Umkleide-Türen aus Holz und natürlich die imposante Hallenuhr über ihren Köpfen. Bei einem Besuch schlägt man also gleich drei Fliegen mit einer Kappe: Sightseeing, Fitness und Erholung. Denn neben dem 200 Quadratmeter großem Becken gibt es einen Whirlpool, diverse Saunen, ein Dampfbad und eine Schneekammer zum Abkühlen. Wer mag, kann sich danach noch im Restaurant »Alte Remise« gegenüber stärken und dabei ein weiteres Gebäude der ehemaligen Heilanstalt kennenlernen.

⭐ *Zwickau, Johannisstr. 16, johannisbad.de*

Robert-Schumann-Haus Zwickau

Mit Konzertsaal, Museum und Forschungsstätte ein Mekka für Klassikfans

Natürlich steht Musik im Haus eines Komponisten an erster Stelle. Deshalb erstaunt es nicht, dass sich im Robert-Schumann-Haus gleich im Erdgeschoss ein großer Konzertsaal befindet, in dem regelmäßig Werke des Meisters erklingen, mal klassisch, mal neu interpretiert, etwa als Jazz- oder Chansonvariante. Streng genommen, handelt es sich bei dem Gebäudekomplex am Hauptmarkt nicht allein um das Geburtshaus von Robert Schumann (1810-1856). Es wurde bis zur Eröffnung 1956 mit zwei Nachbarbauten verbunden, um Platz zu schaffen für die mit rund 36 000 Einzelobjekten **weltweit größte Schumann-Sammlung** samt Forschungsstelle. »Von Anfang an widmet sich das Museum aber nicht nur ihm, sondern auch seiner Frau, der Pianistin Clara Schumann, geborene Wieck«, sagt

Leiter Thomas Synofzik. Das Biedermeier-Mobiliar des Ehepaars ist ebenso Teil der umfangreichen Sammlung wie Plastiken, Originalporträts, handschriftliche Noten, unzählige Briefe und Tasteninstrumente, etwa Clara Wiecks (1819-1896) erster Flügel. Auf ihm spielte sie als Neunjährige ihr erstes Konzert im Leipziger Gewandhaus (siehe S. 30). Vierteljährlich wechselnde Sonderausstellungen widmen sich häufig Künstlern aus dem Umfeld der Schumanns, etwa dem Komponisten Johannes Brahms oder dem Schriftsteller E. T. A. Hoffmann. Wer nach dem Besuch des Hauses noch mehr erfahren will, kann sich auf einen Schumann-Rundweg quer durch Zwickau begeben, die Wegbeschreibung findet man auf der Website des Museums.
⭐ *Zwickau, Hauptmarkt 5, schumann-zwickau.de*

Schatzkammer der Moderne

Sachsens Museen sind für Meister der Renaissance und des Barocks berühmt, haben aber auch jüngere Kunst zu bieten. Allein aus Chemnitz, der Kulturhauptstadt 2025, stammen mehrere Maler der »Brücke«-Gruppe. Die Highlights von Dresden bis Zwickau

93

MAX-PECHSTEIN-MUSEUM

Dieses Haus in seiner Geburtsstadt Zwickau widmet dem Expressionisten (1881–1955) eine Dauerausstellung mit mehr als 50 Werken, darunter das Gemälde »Frau mit Fächer« von 1924 (Foto). Pechstein gehörte wie Karl Schmidt-Rottluff (siehe rechte Seite) zur Künstler-Gruppe »Brücke«.
⭐ Zwickau, Lessingstr. 1
kunstsammlungen-zwickau.de

94 KUNSTSAMMLUNGEN AM THEATERPLATZ

Nehmen Sie sich Zeit für dieses große Chemnitzer Museum (hier das Foyer), in dem viele Expressionisten zu sehen sind, etwa Karl Schmidt-Rottluff, ein Sohn der Stadt. In der Grafischen Sammlung ist auch Käthe Kollwitz (siehe S. 23) vertreten. ☆ *Chemnitz, Theaterplatz 1, kunstsammlungen-chemnitz.de*

95

NEUE SÄCHSISCHE GALERIE

1990 begannen Chemnitzer, diese umfangreiche Sammlung sächsischer Kunst nach 1945 zusammenzutragen. Wechselausstellungen zeigen auch andere Künstler wie Ivan Kafka (Foto: »Von nirgends nirgendwohin«). ☆ *Chemnitz, Moritzstr. 20, neue-saechsische-galerie.de*

96

GALERIE NEUE MEISTER
Im Dresdner Albertinum wird der Bogen von der Romantik bis zur Gegenwart gespannt. Etwa mit Ferdinand von Rayskis Porträt seiner Schwester Minna Pompilia von 1843 (im Foto rechts), aber auch mit Werken von Gerhard Richter. ☆ *Dresden, Tzschirnerplatz 2, albertinum.skd.museum*

97

MUSEUM GUNZENHAUSER
Wer von der Malerei der Neuen Sachlichkeit fasziniert ist, sollte sich unbedingt diese Sammlung anschauen, zu der allein 380 Bilder von Otto Dix gehören. ☆ *Chemnitz, Stollberger Str. 2, kunstsammlungen-chemnitz.de*

HOTELS

Liebevoll umgestaltete Häuser, in denen früher Fürsten und Banker, aber auch Gerber und Winzer ihrem Tagwerk nachgingen: Sachsen ist reich an besonders originellen Unterkünften

ROMANTISCH

VILLA SORGENFREI
Neben der eleganten Einrichtung mit antiken Möbeln und teils historischen Wandmalereien punktet das ehemalige Weingut mit riesigem Garten und Sterneküche im Restaurant »Atelier Sanssouci«.
Radebeul, Augustusweg 48
hotel-villa-sorgenfrei.de **98**

BAUMHAUSHOTEL KRIEBELLAND
Die fantasievollen Behausungen in bis zu 20 Meter Höhe sind ein echtes Erlebnis. Ob in halb über der Zschopau schwebenden Booten oder in der dreistöckigen Romantikhütte in alten Eichen: Wenn hier gleich eine Fee vorbeiflatterte – uns würde es nicht wundern.
Kriebstein, An der Talsperre 1a
kriebelland.de **99**

SCHLOSS RABENSTEIN
Das Haus kombiniert barocke Details wie goldene Deckenbemalungen mit modernen Elementen. Morgens auf dem Balkönchen mit dem verzierten schwarzen Gitter die klare Luft aus dem Park der nahen Burg Rabenstein einzuatmen, ist ein schöner Start in den Tag.
Chemnitz, Thomas-Müntzer-Höhe 14, hotel-schloss-rabenstein.de **100**

HOTEL ALTE GERBEREI
Dunkle Holzmöbel, Fachwerkbalken, Sprossenfenster: Mit viel Liebe wurde das Gebäude am Spreeufer restauriert und in ein Hotel mit Landhausflair umgestaltet.
Bautzen, Uferweg 1
hotel-alte-gerberei.de **101**

102 *Low Budget*

SCHLOSS AUGUSTUSBURG
Das fast 450 Jahre alte Jagdschloss des sächsischen Kurfürsten August steht erhaben auf einem kleinen Berg über dem Zschopautal. Seltener Hostel-Luxus: Im Gewölbekeller gibt es eine Sauna.
Augustusburg, Schloss
jh-augustusburg.de

MODERN

LAURICHHOF
Annette Katrin Seidel und ihr Sohn Franz Philip haben die Räume in ihrem Pirnaer Hotel ganz unterschiedlich, aber immer stimmungsvoll und sehr stylish gestaltet: mal clean und ganz in Weiß gehalten, mal mit knalliger Pop-Art oder im Dschungel-Look. Jede Suite ist mit individuellen Möbeln ausgestattet und mit besonderen Lampen, die eigentlich den Namen Designobjekt verdient haben.
Pirna, Hauptplatz 4, laurichhof.de **103**

HOTEL FREGEHAUS
Auf den Zimmern Vintagemöbel, im Erdgeschoss ein blauer Salon mit einer kleinen Bar und Mini-Bibliothek und ein hübsch begrünter Innenhof: Sabine Fuchshuber hat ein ehemaliges Bankgebäude im Herzen der Leipziger Innenstadt mit ihrem Auge für Design in ein wunderbares Refugium verwandelt.
Leipzig, Katharinenstr. 11
hotel-fregehaus.de **104**

HERRNHUTER®
Manufaktur

Handarbeit

SCHAUEN . *Mitmachen* . ERLEBEN

Herrnhuter Sterne GmbH
Oderwitzer Straße 8 . D-02747 Herrnhut / Sachsen

www.herrnhuter-sterne.de . reservierungen@herrnhuter-sterne.de

MADE IN SACHSEN

*Diese Produkte sind so originell und fein,
da muss man sich wirklich gut überlegen,
ob man sie verschenkt oder selbst behält...*

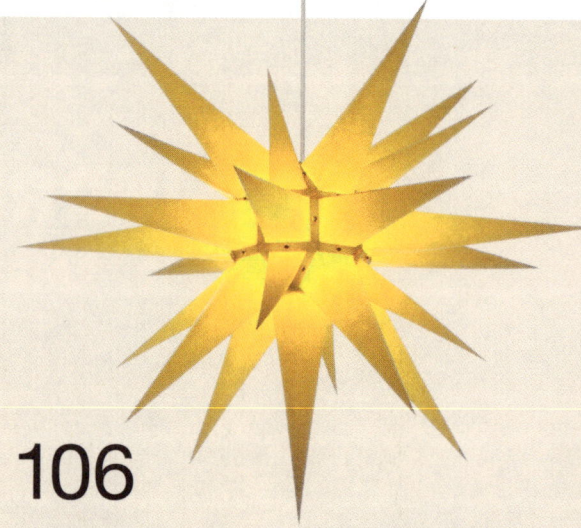

105
DIAMANT FAHRRAD

Die von Friedrich und Wilhelm Nevoigt in Reichenbrand gegründete Firma Diamant stellt seit 1885 coole Bikes her – wie dieses Retro-Rad Topas Grand Finale.

UVP 970 €, erhältlich z.B. bei Fahrrad XXL Emporon, Chemnitz, An der Markthalle 1, diamantrad.com

106
HERRNHUTER STERN

Ursprünglich hatte ein Erzieher ihn erfunden, um Schülern Geometrie beizubringen. Heute ist er ein Klassiker der Weihnachtsdekoration und hellt auch ganzjährig Raum und Stimmung auf. Dieses Modell besteht aus Papier und hat einen Durchmesser von ca. 70 Zentimetern.

32 €, Herrnhut, Oderwitzer Str. 8, herrnhuter-sterne.de

108
WENDT & KÜHN

Grete Wendt und Margarete Kühn gründeten nach ihrem Kunststudium 1915 ihre Manufaktur in Grünhainichen. Für ihre Holzengel erhielten sie sogar die Goldmedaille auf der Pariser Weltausstellung 1937. Heute gehören zum Sortiment auch Figuren wie das »Mädchen mit Hasenglöckchen«.

Ca. 59 €, Grünhainichen, Chemnitzer Str. 40, wendt-kuehn.de

107

BRUNO BANANI

New York hat Calvin Klein, Chemnitz hat die Familie Jassner. Das von Vater Wolfgang und Sohn Jan geführte Unternehmen siedelte sich 1993 bewusst hier an und bereichert die Modewelt seitdem mit seinen farbenfrohen Wäschekollektionen.

Ca. 20 € (2er-Pack), Chemnitz-Mittelbach, Hofer Str. 15, brunobanani.com

109

PFUNDS KACHELN

Diesen trinkenden Engel sieht man in Pfunds Molkerei in Dresden links hinter der Käsetheke. Die nostalgischen Wand- und Decken-fliesen bekommt man auch als Nachbildung für zu Hause.

10 € (14,5 x 14,5 cm), Dresden, Bautzner Str. 79, pfunds-shop.de

110

CIRCUIT ACCESSOIRIES

Schmuckes Upcycling: Designerin Rowitha Petersen fertigt aus alten Platinen Ringe, Ketten, Ohrstecker und mehr.

120 € (Ring R25), Leipzig, Otto-Heinze-Str. 28, circuit-accessories.de

111

DR. QUENDT DOMINOSTEINE

Erfunden hat die Nascherei mit Pfefferkuchenteig, Gelee und Marzipan der Dresdner Chocolatier Herbert Wendler als »Praline für jedermann«. Sein Originalrezept übernahm später die Firma Dr. Quendt, die auch einen Werksverkauf anbietet.

2,99 €, Dresden, Offenburger Str. 1, dr-quendt.de

112

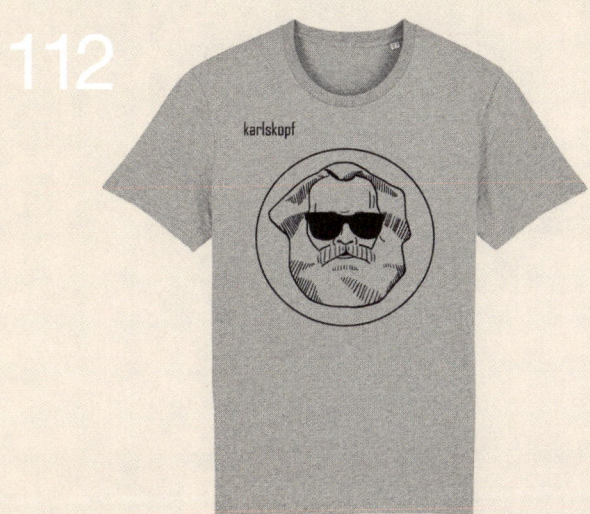

KARLSKOPF SHIRTS

Die 1953 nach ihm benannte Stadt heißt längst wieder Chemnitz, doch Karl Marx ist dort noch immer präsent. Zum Beispiel auf den T-Shirts der Firma Karlskopf. Aus Bio-Baumwolle und gefertigt nach den Standards des Siegels Fair Wear. Marx, der übrigens aus Trier stammte, hätte das sicher gefallen.

26,95 €, Chemnitz, Brühl 53, karlskopf.de

113

EIERLIKÖRZ

Das Rezept für den preisgekrönten Likör stammt von Oma Ursel, der Großmutter von Firmengründer Felix Adler. Daraus ein Start-up zu entwickeln war gar keine Schnapsidee.

10,90 €, Chemnitz, Verkauf z.B. im Hotel »Chemnitzer Hof«, Theaterplatz 4, eierlikoerz.de

114

KATJA RUB

Frech wie die »Leipziger Lerche«, nachdenklich dreinblickende Wildgänse: »Jedes Tier hat seinen eigenen Charakter«, findet Grafikdesignerin und Wahl-Leipzigerin Katja Rub. Ihm verleiht sie auf Karten, Drucken und Kalendern Ausdruck, vom Papageientaucher bis zum Nasenbär.

Karte ab 2,50 €, Buchhandlung Wörtersee, Leipzig, Peterssteinweg 7, katja-rub.de

Applaus für Winnetou, Old Shatterhand und ihre Mitstreiter – und für die dramatische Felskulisse in Rathen

115

115-126
Sächsische Schweiz

Ihre spektakuläre Natur sorgt für eine felsenfeste Fangemeinde: Literaten und Maler verewigten die Sächsische Schweiz in der Kunst. Für Aktive ist sie ein Highlight. Elberadweg und Klettersteige sind wahre Touristenmagnete

Felsenbühne Rathen

Endlich können Winnetou und Old Shatterhand wieder formvollendet aufsitzen: Nach zwei Jahren Sanierung hat das einzige Theater Deutschlands, das sich in einem Nationalpark befindet, eine brandneue Spielstätte. »Die Bühne wurde 1936 gegründet«, so Veranstaltungsmanager Andreas Gärtner, »zwei Jahre später wurde hier die weltweit erste Karl-May-Adaption aufgeführt.« Die Abenteuergeschichten werden quasi vor Mays Haustür aufgeführt: Rathen liegt 40 Kilometer südöstlich seines Wohnhauses in Radebeul. Die Naturkulisse lässt dramatische Szenen seit jeher realistisch wirken: Mächtig ragen die Felsen des **Elbsandsteingebirges** hinter der Bühne auf. Auch auf ihnen wird gespielt, manchmal preschen Reiter den Waldweg hinab. Auch Opern stehen mitunter auf dem Programm. »Mein Lieblingsstück ist ›Der Freischütz‹«, so Gärtner, »weil Felsen und Wald es so unglaublich authentisch machen.«

⭐ *Rathen, Amselgrund, landesbuehnen-sachsen.de*

FESTUNG KÖNIGSTEIN

52 Gebäude und ein 152,5 Meter tiefer Brunnen hoch über der Elbschleife

116

Es gibt viele Superlative, die die Festung Königstein auszeichnen. Zum Beispiel dieser: Während des Siebenjährigen Krieges (1756-1763) war sie der einzige Punkt in Sachsen, den Friedrich II. nicht besetzt hatte. Warum, ist nicht belegt, klar aber ist: Leicht wäre die rund 800 Jahre alte Burg nicht zu erobern gewesen: Sie thront auf einem mehr als 240 Meter hohen Felsen über der Elbe und hatte diverse martialische Verteidigungsmechanismen wie **Schießscharten und Rollgranaten.** Auch mit heißem Pech wurden Feinde übergossen. Eindrücklich wird all das auf einer Führung durch die Unterwelt der Festung erklärt. Die 2,2 Kilometer langen Mauern umschließen ein Gelände von 9,5 Hektar (fast sieben Fussballfelder). Darin: 52 Gebäude unterschiedlichen Alters, verstreut wie achtlos liegen gelassenes Kinderspielzeug. Ein Highlight ist das Brunnenhaus. Bevor es gebaut wurde, gab es nur eine kleine slawische Burg. Für den Aushub des Brunnens im 16. Jahrhundert mussten rund 4000 Tonnen Gestein bewegt werden. Gut zwei Jahre gruben und sprengten Freiberger Bergleute, bis sie in 152,5 Meter Tiefe auf Wasser stießen. Erst danach entstanden der Mauerring, das Torhaus, das Zeughaus und weitere Gebäude. Im Laufe der Jahrhunderte haben Herrscher immer wieder erweitert, aus- und umgebaut. Ein spannender Kontrast zu den altehrwürdigen Gemäuern ist das moderne Panoramarestaurant im Offizierskasino. Wer's lieber barock mag, kann die Friedrichsburg (Foto) mieten, einst als Spähposten gebaut, und im Spiegelsaal tafeln.
⭐ *Königstein, festung-koenigstein.de*

FOTOS: GEORG KNOLL

MALERWEG

Traumschön: wandern im Elbsandsteingebirge

117

Wenn die Wesenitz über moosbewachsene Steine gluckert und die Vögel dazu zwitschern, klingt es wie eine Sinfonie, komponiert von der Natur. Der Malerweg, dessen **erste Etappe im Liebethaler Grund** startet, bietet viel Gelegenheit für Träumereien. Kein Wunder, dass sich Maler, Dichter und Komponisten ab dem 18. Jahrhundert von dieser verwunschenen Felslandschaft angezogen fühlten. Unter ihnen Richard Wagner, der in der Lochmühle Teile von »Lohengrin« skizzierte. Wer die acht Etappen wandert, verpasst so gut wie keinen Höhepunkt der Sächsischen Schweiz, darunter: Festung Königstein, Barbarine, die Affensteine, Kirnitzschtal, Burg Hohnstein, Bühne Rathen und Bastei.

☆ *Etappe 1: ab Pirna ZOB mit Buslinie G/L bis »Liebethaler Grund«, malerweg.de*

SEHENSWERT IN PIRNA

118 LOHENGRINHAUS

Das Bauerngut, in dem Wagner 1846 die Musik zu »Lohengrin« entwarf, ist nach einer Rekonstruktion so eingerichtet wie damals.
☆ *Pirna, Richard-Wagner Str. 6*

119 RICHARD-WAGNER-MUSEUM

Das Jagdschloss zeigt Wagners Zeit in Sachsen und sein Leben als Dichter und Opern-Komponist.
☆ *Pirna, Tschaikowskiplatz 7*

ELBSANDSTEINGEBIRGE

Manchmal liegt es wirklich im Nebelmeer, manchmal ist es einfach nur wunderschön. Einen der spektakulärsten Ausblicke im sächsischen Grand Canyon hat man von der Basteibrücke

120

Im Meer geboren

Sächsische Schweiz nennt man den deutschen Teil des Sandsteingebirges am Oberlauf der Elbe, aber sächsischer Grand Canyon wäre ein passenderer Ausdruck. Statt gezackter Bergspitzen reihen sich zerklüftete Felsen und abgerundete Felsnadeln aneinander, fragilen Türmen aus gestapeltem Gestein gleichend. Gut 90 Quadratkilometer umfasst der Nationalpark Sächsische Schweiz, rund dreimal so groß ist das umliegende Landschaftsschutzgebiet. Bis vor etwa 65 Millionen Jahren lag an dieser Stelle ein Meer. Sand und die Reste abgestorbener Pflanzen und Tiere lagerten sich am Grund ab und wurden vom Druck des darüber liegenden Wassers verfestigt. Über Millionen Jahre hob und faltete sich die Landschaft, Flüsse und Regen fraßen sich in das Gestein. So formten Wasser und Wind **tiefe Schluchten und Tafelberge,** die heute von dichtem Wald umgeben sind. Einige der Sandsteinschichten verwittern aufgrund ihrer Zusammensetzung leicht, andere sind erstaunlich stabil – etwa die Bastei, eine knapp 200 Meter über der Elbe thronende Formation, die bereits im Mittelalter durch eine Brücke verbunden wurde. Später genossen viele Künstler der Romantik die fantastische Aussicht, darunter auch Caspar David Friedrich. Er setzte dem Elbsandsteingebirge mit dem Gemälde »Der Wanderer über dem Nebelmeer« ein weltberühmtes Denkmal.

⭐ *Lohmen, Basteistr., saechsische-schweiz.de*

Über Brücken, Pfade und Treppen
führt der Weg nach oben, mitunter
bis hinauf auf die äußerste Spitze

Robert-Sterl-Haus

Wo der Nachlass des berühmten sächsischen Impressionisten gezeigt wird

121

Mit vereinten Kräften stemmen starke Kerle große Brocken aus einem Steinbruch heraus. Ihre hellen Hemden erscheinen in der Sonne blendend weiß. Wer »Die Steinbrecher« (1909, Ausschnitt) von Robert Sterl betrachtet, fühlt sich in den früheren Arbeitsalltag der Sächsischen Schweiz versetzt. In seinem Wohnhaus in Struppen, wo viele seiner Werke im eigens angebauten Atelier entstanden, sind heute **etwa 100 Bilder des Impressionisten** zu sehen. Zuvor hatte der Sohn eines Steinmetzen lange die Meisterklasse an der Dresdner Kunstakademie geleitet und Kollegen wie Max Pechstein und Oskar Kokoschka gefördert. Neben den Wohnräumen kann man den Garten sehen, wo Sterl (1867-1932) und seine Frau Helene begraben liegen.

✪ *Struppen, Robert-Sterl-Str. 30, robert-sterl-haus.de*

ELBAUFWÄRTS

122

TOSKANA THERME

Wer zwischen Wanderungen oder Radtouren eine Wellness-Pause braucht, kann hier herrlich relaxen. Neben Strömungskanal und Außenbecken mit Blick auf die hügelige Landschaft gibt es unter einer Glaskuppel das Solebad »Liquid Sound«: Video- und Lichtprojektion und manchmal Konzerte schaffen eine tiefenentspannte Stimmung.

✪ *Bad Schandau, Rudolf-Sendig-Str. 8a, toskanaworld.net*

Häntzschelstiege

Für Schwindelfreie: klettern in den Affensteinen

123

Erst führen die Stahlbügel senkrecht nach oben, dann um einen Fels aus Sandstein herum. Unter den Füßen: mehrere Meter Leere. So faszinierend die **Stiege in den Affensteinen** ist: Von vielen wird sie unterschätzt. Während die einen Klettergurte anlegen und Helme aufsetzen, riskieren andere den Aufstieg ohne Ausrüstung. Dabei ist Adrenalin auch mit Sicherung garantiert, wenn man den Blick nach unten wagt. Besser lässt man ihn hin zur Brosinnadel schweifen, einem markanten Kletterfelsen, den man vom unteren Abschnitt sieht. Oben angekommen, weicht der konzentrierte Blick dann einem stolzen Lächeln. Die Aussicht über das Elbsandsteingebirge von hier ist berauschend schön.

✸ *Ins Kirnitzschtal bis zum Parkplatz »Nasser Grund«, bergwelten.com/t/ks/5787*

ÜBER DEM KIRNITZSCHTAL

124 OTTENDORFER HÜTTE

Felsen zu erklimmen, will gelernt sein. Bei dieser Kletterschule gehören etwa Abseilen, Ablassen, Knotenkunde und Partnersicherung zur Ausbildung. Neben Kursen können auch Apartments und Schlafplätze in der rustikalen Wanderherberge gebucht werden. Selbstversorgung ist nicht möglich, dafür gibt es eine Gastwirtschaft.

✸ *Ottendorf, Hauptstr. 27 ottendorfer-huette.de*

125

Grüner geht's nicht

Der letzte Ort an der Elbe vor der tschechischen Grenze wirkt wie aus einem Märchenbuch entsprungen. Die bunt gestrichenen Häuser tragen Namen wie »Helvetia« oder »Villa Thusnelda«, sie schmiegen sich an den Elbhang oder im Ortskern eng aneinander, verbunden durch Gassen und über alte, steile Steintreppen. Noch zur DDR-Zeit war Schmilka Sperrzone, die nur mit Passierschein betreten werden durfte. Nach der Wende zogen viele weg. Bis 1993 der Unternehmer Sven-Erik Hitzer die alte Mühle kaufte und ökologisch sanierte. Nach und nach kehrte das Leben zurück in das Dorf: **In der Mühle wird wieder gemahlen,** ein Bäcker verarbeitet das Mehl zu Bio-Brot, und eine eigene Brauerei gibt es auch. Zimmer, Apartments und Wohnungen sind im ganzen Ort verstreut. Egal, wo man wohnt: Man kann die dorfeigene Sauna nutzen und Yoga, Kräuterspaziergänge und Klangmeditationen genießen. Selbst wer nicht in Schmilka übernachtet, sollte unbedingt hier essen gehen: Alle Produkte sind bio und kommen meist auch aus der Region.

⭐ *schmilka.de*

AM GROSSEN STROM

126 ELBERADWEG

In Schmilka fängt der deutsche Teil des Elberadwegs an. Er beginnt im tschechischen Riesengebirge und folgt dem Fluss über 1280 Kilometer bis zu dessen Mündung in die Nordsee. Von Schmilka aus geht es durch die atemberaubende Bergkulisse der Sächsischen Schweiz bis nach Dresden.

⭐ *Start: Špindlerův Mlýn*
elberadweg.de

Lauschig: »Alles hier soll ökologisch sinnvoll sein«, sagt Sven-Erik Hitzer über sein Refugium für Gäste

Schmilka

In dem bezaubernden Dorf nahe der tschechischen
Grenze legen sie viel Wert auf regionale Produkte und
Lebensmittel aus nachhaltiger Landwirtschaft

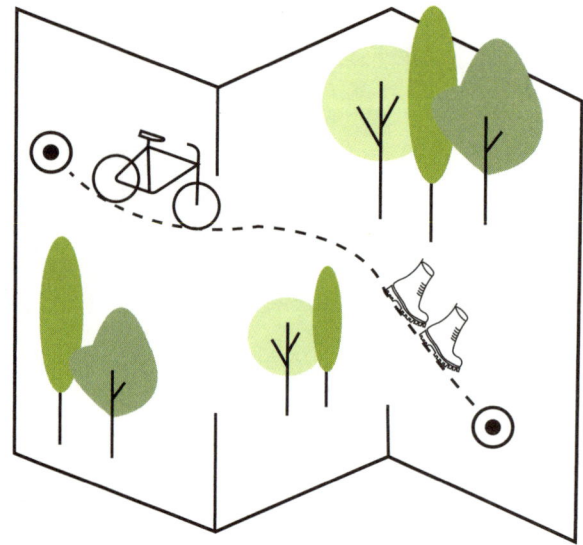

TOUREN

Ob Sie nun lieber durch die Berge wandern oder an Schlössern vorbei – oder per Rad Oder, Neiße und die Seen bei Leipzig entdecken: Diese Strecken zeigen Sachsens vielfältige Landschaften

WANDERN

OBERLAUSITZER BERGWEG

Vom Töpferort Neukirch schlängelt er sich auf gut 100 Kilometern vorbei an imposanten Felsen nach Zittau. Schöne Aussichten bieten Lausche, Hochwald und der Scharfenstein. Nicht die windgeschliffenen Pilzsteine bei Oybin verpassen!

Start: Neukirch, Aussichtsturm Valtenberg, oberlausitzer-bergweg.de **127**

VOGTLAND PANORAMAWEG

Von der Göltzschtalbrücke führt der 240 Kilometer lange Rundweg durch liebliche Berglandschaften. Auf dem Weg liegen Burgen, die Talsperre Pöhl, Bad Elster und der »Wernesgrüner Brauerei Gutshof«.

Start: z.B. Parkplatz Göltzschtalbrücke, vogtland-tourismus.de **128**

MULDENTALWANDERWEG

Man wandert 150 Kilometer lang mit wenigen Höhenmetern, dafür entlang der hübsch vor sich hinfließenden Zwickauer Mulde –

Schlösser, Kirchen und das historische Naturalienkabinett von 1845 in Waldenburg inklusive.

Start: z.B. Muldenbrücke Waldenburg, rochlitzer-muldental.de **129**

KLINGENTHALER HÖHENSTEIG

Er führt auf 800 bis 900 Meter Höhe rund um die Musik- und Wintersportstadt Klingenthal. Dabei blickt man weit über die Täler bis nach Böhmen.

Start: z.B. ab Musik- und Wintersportmuseum, Schlossstr. 3 klingenthal.de **130**

---

131 *Mit Kindern*

PORPHYR-LEHRPFAD

Auf dem 2,7 Kilometer langen Weg am Rochlitzer Berg geht es um das rote Vulkangestein Porphyr. Der Steinbruch, die Einsiedelei zwischen zwei Felsen und der Aussichtsturm machen den Pfad zum Abenteuer.

Start: Rochlitzer Berg Parkplatz Süd rochlitzer-muldental.de

RAD FAHREN

GRÜNER RING LEIPZIG

Auf 133 Kilometern verbindet der grüne Ring Leipzig idyllische und außergewöhnliche Orte im Umland wie den herzförmigen See Kirchbruch in Beucha, der seine Form einer Bergkirche zu verdanken hat, mit dem Neuseenland im Süden – allesamt geflutete Tagebaulöcher. Hier lässt es sich nicht nur wunderbar radeln, sondern auch baden, Eis essen, segeln oder Volleyball spielen.

Start: z.B. Böhlen, Werkstraße gruenerring-leipzig.de **132**

ODER-NEISSE-RADWEG

Ein Sechstel der 630 Kilometer von der Neiße-Quelle in Tschechien bis auf die Ostseeinsel Usedom führt durch Sachsen. Vorbei an Zittau und Deutschlands ältestem Zisterzienser-Frauenkloster, weiter nach Görlitz und Bad Muskau. Viele Möglichkeiten zum Einkehren gibt es dazwischen nicht, dafür geht es bergab, und es ist herrlich einsam.

Start in Sachsen: z.B. Zittau, Untere Dorfstr. 51, oder-neisse-radweg.de **133**

ILLUSTRATION: INKE CRON

134

Die waldreiche Region hat Höhen und Tiefen: Gipfel, auf denen sich Skifahrer und Mountainbiker austoben, und aus Zeiten des Bergbaus noch Stollen. Fliegen kann man auch: mit der Fly Line

Schwarzwassertal

Gute fünf Kilometer östlich von Marienberg fließt die Schwarze Pockau, ein Nebenfluss der Flöha, durch ihr steiniges Bett, umgeben von dem nach ihr benannten Schwarzwassertal: Sie rauscht vorbei an knorrigen Baumwurzeln und hohen Felstürmen, unter Brücken hindurch und an alten Bergbaustollen vorbei, unterwegs bietet der Aussichtsfels Katzenstein einen grandiosen Blick über die **hügeligen Wälder dieses Naturschutzgebietes.** Ein schöner Startpunkt für Wanderungen ist der Parkplatz an der Straße Hinterer Grund in Pobershau, und wer länger bleiben möchte, findet im Feriendorf Schwarzwassertal eine gemütliche Unterkunft in rustikalen, kleinen Holzhäusern. Zum Feriendorf gehört eine Lama-Ranch, die kurze Wanderungen und Tagesausflüge durch das Schwarzwassertal mit den tierischen Gefährten anbietet. Einer heißt Galileo und einer Kolumbus – an Entdeckerlust sollte es also nicht mangeln.

⭐ *Marienberg, Hinterer Grund, lama-ranch.de*

Das Erzgebirge reicht bis nach Tschechien, Wagenknecht, 43, fährt oft hier

135 – 144

Auf der tschechischen Seite kann man im Moor Boží Dar wandern

BIKETOUR MIT ANDRÉ WAGENKNECHT

Auf dem Hinterrad fahren konnte er schon mit sechs Jahren, 2008 und 2014 wurde Mountainbiker André Wagenknecht Deutscher Meister. Sein Favorit für Rennen und Training: das Erzgebirge

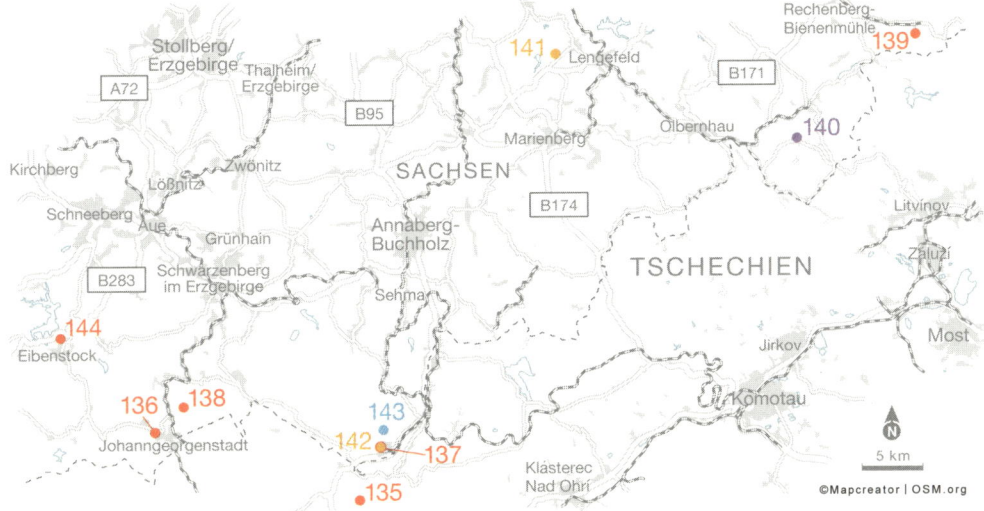

...und im Trailpark Klinovec große Sprünge wagen. Es gibt aber auch einfache Strecken

Stollberg/
Erzgebirge
Thalheim/
Erzgebirge
A72
B95
141 Lengefeld
Rechenberg-
Bienenmühle
B171
139
Marienberg
Olbernhau
140
Kirchberg
Zwönitz
SACHSEN
Lößnitz
Schneeberg
Aue
B174
Litvínov
Grünhain
Annaberg-
Buchholz
Zalužì
B283
Schwarzenberg
im Erzgebirge
TSCHECHIEN
Most
Sehma
144
Eibenstock
Jirkov
136   138
143
Johanngeorgenstadt
142   137
Komotau
135
Klásterec
Nad Ohrí
N
5 km
©Mapcreator | OSM.org

Die Blockline führt auch nach Blockhausen, wo es fantasievolle Holzskulpturen gibt

135 KLINOVEC

Neben 31 Kilometern Skipiste gibt es den Bikepark. Der hat zwei Eingänge: auf dem Gipfel und in Jáchymov.

⭐ klinovec.cz, trailpark.cz

136 KAMMLOIPE

Unterwegs hat man bei klarer Sicht fantastische Blicke bis nach Bayern und Tschechien.

⭐ Start: z.B. ab Johanngeorgenstadt, kammloipe.de

137 MIRIQUIDI STONEMAN

Die Crosscountry-Strecke führt zu neun Gipfeln.

⭐ Start: z.B. am Restaurant Prijut 12. Oberwiesenthal stoneman-miriquidi.com

138 TRAILCENTER RABENBERG

Kleiner als der Klinovec-Bikepark, dafür sehr naturnah.

⭐ Breitenbrunn. Rabenberg 6 trailcenter-rabenberg.de

139 BLOCKLINE

Drei Loops von 50 bis 65 Kilometer Länge führen durchs östliche Erzgebirge.

⭐ Start: z.B. ab Hotel Talblick. Rechenberg-Bienenmühle blockline.bike

Es war mein Opa, der meine Begeisterung fürs Radfahren geweckt hat. Er ist selbst sehr gern gefahren und hat viel mit mir an meinem Rad geschraubt. Ich wollte nämlich schon als Kind kein normales, sondern eines, mit dem man coole Stunts machen konnte. So wie die Teenies in »Die BMX-Bande« mit Nicole Kidman. Mit sechs Jahren brachte ich mir bei, mit meinem aufgepeppten BMX-Bike auf dem Hinterrad zu fahren. Ich bin oft völlig dreckbespritzt nach Hause gekommen. Mit der Wende – da war ich elf Jahre alt – kamen Mountainbikes auf. Ich bekam zwar eines, aber das war ziemlich billig. Ich habe mit 15 oder 16 in den Sommerferien auf dem Bau und im Fahrradladen gearbeitet, um mir ein richtig gutes kaufen zu können. Aufgewachsen bin ich im Vogtland, aber wegen der großartigen Mountainbike-Strecken wurde das Erzgebirge bald zu meinem Trainingsrevier, besonders, seit ich mit 15 meine ersten Rennen fuhr. Vor allem auf der tschechischen Seite, am **Klinovec** gleich hinter der Grenze zu Sachsen, waren wir viel unterwegs. Der Klinovec ist mit mehr als 1240 Metern der höchste Berg im Erzgebirge, das Revier ziemlich fordernd. Aber wenn du besser werden willst, brauchst du auch Strecken, die dich an deine Grenzen bringen. Inzwischen haben sie dort einen riesigen Bikepark und sind auch auf Familien eingestellt. Ich denke,

dass ich meinen Sohn Willi dieses Jahr mal dorthin mitnehmen werde und mit ihm die leichten Flowtrails ohne Steine und Baumwurzeln fahre. Willi ist jetzt fünf. Im Winter kann man am Klinovec auch toll Abfahrtski fahren. Diesen Sport habe ich erst mit 26 für mich entdeckt. Auf dem Fichtelberg, mit 1215 Metern der höchste Berg Sachsens, gibt es im Winter tollen Pulverschnee. Rauf kommt man mit der Fichtelberg-Schwebebahn, der ältesten Seilschwebebahn Deutschlands. 2011, als wir diesen langen, schneereichen Winter hatten, habe ich mir Langlaufskier gekauft. Langlauf ist klasse, weil man dabei abschalten und gleichzeitig was für die Fitness tun kann. Dafür kann ich die **Kammloipe** zwischen Schöneck im Vogtland und Johanngeorgenstadt im Ergebirge sehr empfehlen. Manchmal bin ich da mit Freunden unterwegs – jeder hat einen Rucksack dabei, einer trägt den Campinggrill, einer das Bier und zusammen verbringen wir dann einen coolen Tag. Viele Mountainbiker kommen ins Erzgebirge, um die Route des **Miriquidi-Stoneman** und im **Trailcenter Rabenberg** zu fahren. Beide sind super. Der Rabenberg ist ein reines Enduro-Trainingscenter mit eher rauem Gelände – und es gibt dort keinen Lift! Der Miriquidi Stoneman führt über 162 Kilometer sowohl durch den deutschen als auch den tschechischen Teil des Erzgebirges. Dabei überwindet

Eine der beliebtesten Bike-Strecken ist der Miriquidi Stoneman

Perfekt, um Energie zu tanken: das »Prijut 12« in Oberwiesenthal

man 4400 Höhenmeter – man kann aber auch nur einzelne Abschnitte fahren. Der Begriff Stoneman spielt auf den Triathlon »Ironman« an und Miriquidi auf einen mittelalterlichen Namen für das Erzgebirge: »Miriquidi Silva« heißt »finsterer Wald« und beschreibt die waldreiche, fast mystische Landschaft der Gegend. Tatsächlich fährt man noch heute durch eine märchenhafte Kulisse aus dichten Tannenwäldern, Wasserfällen, Mooren, Bächen und Seen. Wer sanft ins Mountainbiking einsteigen möchte, ist auch im **Bikepark Blockline** gut aufgehoben. Er hat erst vergangenes Jahr in Rechenberg eröffnet und richtet sich besonders an Anfänger und Familien. Dort gibt es auch kleine Etappen von sechs bis 20 Kilometer Länge, die man auch mit Kindern schafft. Nur ein paar Kilometer südlich liegt **Seiffen,** wo es 1993 den ersten Mountainbike-Marathon Deutschlands gab. Hier spielt aber vor allem das Schnitzhandwerk eine große Rolle. Man kann kleine Betriebe und Schauwerkstätten besuchen, die Krippenfiguren und Holzspielzeug herstellen. Ich habe dort einmal eine Räucherfigur in Form eines Fahrrads geschenkt bekommen. In der Weihnachtszeit ist Seiffen besonders schön, richtig gemütlich. Um die lokale Küche kennenzulernen, sollte man im **Gasthof Forsthaus** in Lengefeld einkehren. Betrieben wird es von der Familie Frenzel, die die Legalisierung

der Mountainbike-Trails, auf denen der Miriquidi heute entlangführt, mit angeschoben hat. Denn gefahren bin ich da mit meinen Freunden schon als Jugendlicher, bevor es hier offizielle Bikeparks gab. Im Forsthaus bekommt man einfache, gutbürgerliche Küche – ich habe da zum Beispiel mal eine sehr leckere Brennnesselsuppe gegessen. Essen kann man auch im **Prijut 12** in Oberwiesenthal sehr gut. Der Gründer Lutz Heinrich ist Bergsteiger und hat sein Lokal mit Skiern und anderen Utensilien geschmückt. Die machen dort eine leckere Soljanka, die schön durchwärmt. Der Schnaps wird mit einer Spielzeugeisenbahn gebracht. Nicht weit weg liegt das **Hotel des Skispringers Jens Weißflog.** Der ist total nett und sein Hotel schön eingerichtet. Wer einen mehrfachen Olympiasieger treffen will: Die Chancen, dass man ihm hier über den Weg läuft, sind gut. Als Unterkunft finde ich auch die Schäferwagen neben den **Badegärten in Eibenstock** nett. In die Badegärten gehen meine Frau und ich manchmal, wenn wir uns einen schönen Tag zusammen machen wollen. Die russische Sauna mag ich am liebsten. Die Blockhütten wurden in Russland gebaut und dann hergebracht. Und nebenan stehen die Schäferwagen, in denen man übernachten kann. Für den Fall, dass man noch ein bisschen bleiben möchte.

TERRA MINERALIA

Freiberg on the rocks – mit seiner Sammlung von Kristallen, Meteoriten und mehr

145

Man kann es verstehen, dass die Freiberger eine große Zuneigung zu den Schätzen empfinden, die einst tief unter der Erde lagen. Fast genau 800 Jahre lang, von 1168 bis 1969, wurde hier Bergbau betrieben – seit 1765 hat der Ort sogar eine Bergakademie, die heute als Technische Universität firmiert und die diese Stadt mit gut 40 000 Einwohnern zur Universitätsstadt macht. Dass man dort Mineralien erforscht, versteht sich von selbst, und die schönsten Funde sollen auch schön wohnen: Im Schloss Freudenstein, einer Anlage aus dem 16. Jahrhundert in der Altstadt, betreibt die Bergakademie die umfangreiche Mineraliensammlung Terra Mineralia. Auf etwa 1500 Quadratmetern zeigt die Sammlung insgesamt **rund 3500 Edelsteine, Meteoriten und Minerale** aus Europa, Afrika, Australien,

Asien und Amerika. Abgedunkelte Räume und beleuchtete Vitrinen bringen die bizarren Formen und strahlenden Farben der Exponate raffiniert zur Geltung. Zu den vielleicht schönsten Steinen gehören ein schneeweißer, nadelspitzer Skolezit aus Indien (Foto), ein bräunlicher Edelopal mit regenbogenfarbenen Einschließungen aus Australien und ein Calcit aus dem Kongo, der wirkt wie eine graue Knolle, in der sich pinkfarbene Zacken wie Zähne auf einen Hohlraum im Innern richten. Im mehr als 500 Jahre alten Krügerhaus nebenan sind Stücke aus Deutschland zu sehen, darunter Silber aus Freiberg, Edelsteine aus dem Vogtland und Gipskristalle, die in Sachsen-Anhalt entdeckt wurden.

✴ *Freiberg, Schloss Freudenstein, Schloßplatz 4*
terra-mineralia.de

FLY LINE

Die Landschaft am Fichtelberg aus der Vogelperspektive erleben

146

Die Wälder und Felder rund um Oberwiesenthal sind eine herrliche Kulisse für diesen abgefahrenen Spaß: Die Passagiere der Fly Line hängen in Sitzgurten unter einem Stahlrohr und fahren daran entlang – **gut anderthalb Kilometer vom Fichtelberg ins Tal.** Das geht ziemlich langsam, ist aber nicht ohne: Das Rohr windet sich spiralförmig um Masten und schlängelt sich zwischen Bäumen hindurch, dadurch pendelt man nach rechts und links, spürt in einer Spirale die Fliehkraft, mal geht's auch ein paar Meter rückwärts. Das Spannendste sind die Kurven zwischen den Baumstämmen: So muss die Perspektive für einen Vogel aussehen, der durch einen Wald fliegt.

⭐ *Start: Oberwiesenthal, Fichtelbergstr. 8*
oberwiesenthal.de

SCHMAUSEN UND SCHWIMMEN

147

GASTHAUS SCHACHTELBUD

Leckere Hausmannskost, rustikale Stube und gemütliche Zimmer.
🍴 *Oberwiesenthal, Karlsbader Str. 24, schachtelbud.de*

148

THERMALBAD WIESENBAD

Erholung zwischen Aqua-Gymnastik und genussvollem Ausharren.
⭐ *Thermalbad Wiesenbad Freiberger Str. 33, wiesenbad.de*

GLÜCK AUF!

Schicht am Ende des Tunnels: Museen zeigen, wie der Bergbau einst Leben und Kultur in Sachsen prägte. Fachkundige Führungen durch die Stollen ermöglichen zudem spannende Einblicke in viele der 17 UNESCO-Weltkulturerbestätten der Montanregion Erzgebirge

IM BAUCH DER ERDE

SILBERBERGWERK FREIBERG
Eine Grube mit Zukunft: Für Besucher sind die ein- bis fünfstündigen Touren durch die alten Stollen ein spannendes Erlebnis – für Wissenschaftler der Technischen Universität Bergakademie Freiberg ist die Anlage mittlerweile ein Forschungs- und Lehrbergwerk.

Freiberg, Fuchsmühlenweg 9
silberbergwerk-freiberg.de **149**

BESUCHERBERGWERK ST. CHRISTOPH
Unter Tage wurden Zinn, Kupfer, Silber und Eisen abgebaut; besonders die alten Stützkonstruktionen aus Holz und Metall wirken heute faszinierend.

Breitenbrunn, Schachtstr. 63
besucherbergwerk-sankt-christoph.de **150**

MARKUS-RÖHLING-STOLLN
Bis 1857 grub man hier nach Silber, im 20. Jahrhundert suchte man nach Uran – deshalb können

Besucher jetzt Überreste aus ganz unterschiedlichen Epochen sehen.

Annaberg-Buchholz, Sehmatalstr. 15
roehling-stolln.de **151**

KALKWERK LENGEFELD
In der dorfähnlichen Anlage hat man nicht nur Kalk gebrannt – in ihren Schächten wurden zum Kriegsende auch Kunstschätze aus Dresden vor den Sowjets versteckt.

Pockau-Lengefeld, Kalkwerk 4a
kalkwerk-lengefeld.de **152**

---

153 Kultur

STADT- UND BERGBAU-MUSEUM FREIBERG
Wie häufig die Kunst in Freiberg den Bergbau zum Thema hatte, das zeigt dieses Museum mit Gemälden und Skulpturen aus der Zeit vom Mittelalter bis zum 19. Jahrhundert.

Freiberg, Am Dom 1
museum-freiberg.de

IM LICHT DER SONNE

NATUR- UND BERGBAULEHRPFAD »ZUM HOHEN FORST«
Die NABU-Ortsgruppe Kirchberg führt auf dieser rund 90-minütigen Wanderung durch die Natur und die Dörfer bei Kirchberg und vermittelt dabei spannendes Wissen rund um Bergbau, Flora und Fauna in dieser Region.

Start: Burkersdorf, Wiesenburger
Straße, kirchberger-bergbrueder.de **154**

»AUF SCHRITT UND TRITT DURCH DAS UNESCO-WELTERBE«
Rund um Eibenstock mäandert dieser leicht zugängliche Wanderweg von 1,5 Kilometer Länge; es geht vorbei an eingestürzten Schächten und alten Gruben durch eine vom Bergbau geprägte Landschaft. Man kann die Tour durch einen Übergang zum Gerstenbergrundweg auf sieben Kilometer ausdehnen.

Start: Eibenstock, Parkplatz
Badegärten, eibenstock.de **155**

300 Maurer, 150 000 Ziegelsteine täglich: die Göltzschtalbrücke war ein Projekt mit gigantischen Ausmaßen

156

Eingebettet zwischen grünen Hügeln und Tälern liegen Orte, in denen man wahre Handwerkskunst bestaunen kann: von Burgen und Brücken über Musikinstrumente bis hin zu filigraner Spitze

Göltzschtalbrücke

Die Anforderungen an ihre Erbauer waren riesig: Ab etwa 1840 sollte eine Zugverbindung zwischen Leipzig und Nürnberg entstehen, doch die Trasse machte eine Brücke über die Göltzsch notwendig, die sich tief durch das hügelige Vogtland windet. Die Lösung tüftelte der vogtländische Ingenieur Johann Andreas Schubert aus, und es wurde eine architektonische Meisterleistung. Fertiggestellt wurde die Göltzschtalbrücke – **78 Meter hoch und 574 Meter lang** – 1851 nach fünf Jahren Bauzeit.

26 Millionen Ziegelsteine wurden dafür verbaut, zeitweise arbeiteten über 1700 Menschen gleichzeitig an dem Werk. Damals war sie die höchste Ziegelsteinbrücke der Welt, und ihre Verbindung aus Wucht und Eleganz beeindruckt noch heute, wenn man unter den großen Rundbögen vier Etagen nach oben schaut. Neben der Brücke wird im Museum »Ketzels Mühle« ihre Entstehung erklärt.

⭐ *Netzschkau, Brückenstr. 13, Museum: Brückenstr. 6 (im Winter Termin nach Absprache)*

FOTO: GEORG KNOLL

Torsten Preuß
spielt privat gern
E-Gitarre, repa-
riert aber vielerlei
Instrumente

157-165

VOGTLAND-HIGHLIGHTS VON TORSTEN PREUSS

Seine Heimat ist weltberühmt für ihre Instrumente. Was liegt also näher,
als mit einem Gitarrenbauer zum Rundgang aufzubrechen? Dies sind seine
Lieblingsorte zwischen Bad Elster und Klingenthal

Im König Albert Theater finden Konzerte, Kabarett und andere Stücke statt

Das Musikinstrumenten-Museum beeindruckt mit gut 4000 Exponaten

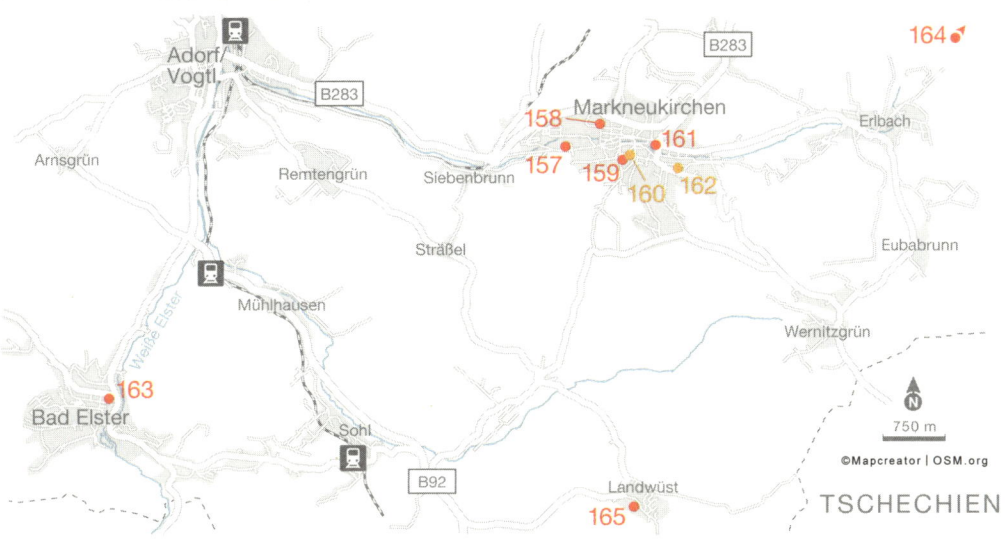

Eclair oder Erdbeerschnitte? Die Wahl im »Café Seifert« fällt schwer

Über dem Balkon der Hochschule prangen noch die Initialen des früheren Besitzers Curt Merz

157 VILLA MERZ

Im prächtigen Foyer des Ablegers der Westsächsischen Hochschule Zwickau gibt es manchmal Konzerte.

⭐ *Markneukirchen*
Adorfer Str. 38
industriekultur-in-sachsen.de

158 MUSICON VALLEY

In drei Schauwerkstätten darf man Instrumentenbauern bei der Arbeit zusehen.

⭐ *Markneukirchen*
Johann-Sebastian-Bach-Str. 13
musiconvalley.de

159 MUSIKINSTRUMENTEN-MUSEUM

Im Sommer werden im Klang-Garten Konzerte gegeben.

⭐ *Markneukirchen*
Bienengarten 2
museum-markneukirchen.de

160 AM PAULUSSCHLÖSS'L

Abwechslungsreiche Gerichte mit oft saisonalen Zutaten, gesellige Atmosphäre.

🍴 *Markneukirchen*
Bienengarten 11
am-paulusschlössl.de

Für meine Lehre zum Zupfinstrumentenmacher bin ich 2005 aus Hannover ins Vogtland gezogen – erst nach Klingenthal, vier Jahre später nach Markneukirchen, wo ich mich mit meiner Werkstatt selbstständig gemacht habe.

Es gibt eigentlich kaum einen besseren Ort für meinen Beruf. Das Vogtland ist seit über 350 Jahren für den Instrumentenbau bekannt, die Menschen haben hier noch viel Wissen über dieses Handwerk. Vor dem Ersten Weltkrieg war der weltweite Handel mit den Instrumenten aus Markneukirchen so bedeutend, dass es hier sogar ein amerikanisches Konsulat gab. Von dieser Boomzeit zeugen auch noch die »Fortschicker-Villen« bei uns im Ort. Das sind herrschaftliche Häuser der Musik-Großhändler und reicher Fabrikanten. Eins davon ist die **Villa Merz,** in der heute der Fachbereich Musikinstrumentenbau der Westsächsischen Hochschule Zwickau untergebracht ist – ein prachtvolles Gebäude im Stil des Art nouveau und Neobarocks. Hier unterrichte ich als Dozent neben meiner Arbeit als selbstständiger Gitarrenbauer. Wir Instrumentenmacher in Markneukirchen sind untereinander gut vernetzt. Es kommt nicht selten vor, dass bei uns Menschen mit ihren Instrumenten einfach vor der Tür stehen – gerade gestern kam einer zu mir und fragte: »Wer macht denn hier Querflöten?« Den schickte ich dann weiter

zum Kollegen für Holzblasinstrumente. Genauso verweist der Geigenbauer auf mich, wenn bei ihm jemand fragt, wer eine Mandoline reparieren könne. Auch wenn Markneukirchen eine Stadt ist, hat es einen sehr dörflichen Charakter – ich mag das. Manchmal fragen Leute auch, ob sie einmal in die Werkstatt reinschauen dürfen. Dafür haben wir natürlich nicht immer Zeit. Als Alternative wurden deshalb die Schauwerkstätten des **Musicon Valley** gegründet, untergebracht in einer früheren Mädchenschule. Hier zeigen Meister aus der Region zu festen Terminen, wie man Geigen, Trompeten oder einen Kontrabass baut.

Ich engagiere mich vor allem für das **Musikinstrumenten-Museum.** Die Sammlung umfasst mehr als 4000 Instrumente aus aller Welt, von einem 650 Jahre alten japanischen Trommelensemble bis zur syrischen Oud, das ist ein Saiteninstrument. Wir haben auch die größte Geige der Welt dort, die mehr als vier Meter groß ist, und eine zwölfeinhalb Zentimeter kleine Violine. Kinder finden auch den Garten toll, in dem man spielerisch Töne erleben kann, etwa auf einer Klangtreppe, bei der jede Stufe einen Ton erzeugt.

Nur ein paar Häuser weiter liegt das gemütliche Restaurant **Am Paulusschlöß'l,** wo man wirklich gut essen kann. Es wird gehobene Hausmannskost serviert, und die Karte überrascht mich immer wieder mit

Nochmal! Wer vom Rodeln nicht genug bekommt, kauft eine Zehnerkarte

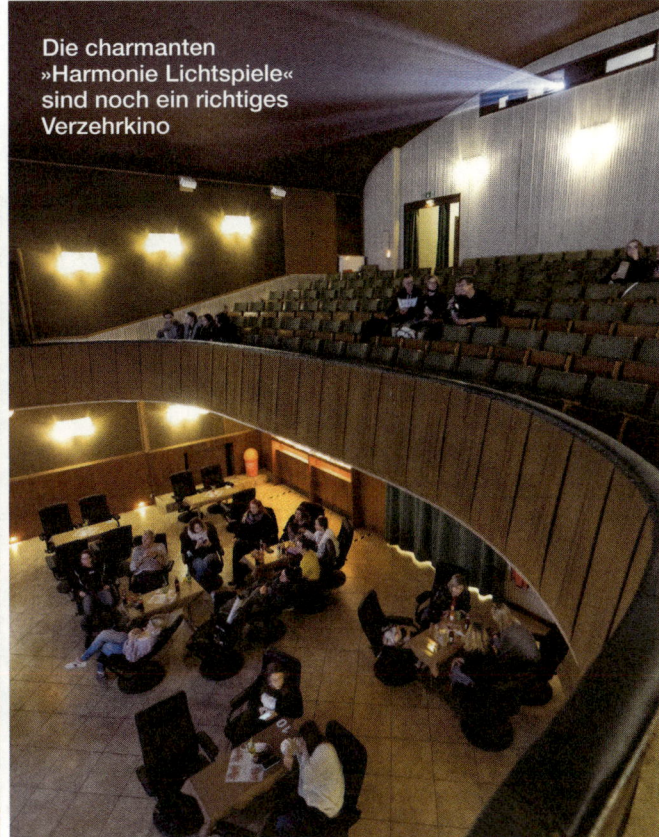

Die charmanten »Harmonie Lichtspiele« sind noch ein richtiges Verzehrkino

FOTOS: GEORG KNOLL; KARTENILLUSTRATION: JOCHEN SCHÄFERS

neuen Gerichten. Auch sehr lecker ist das Essen im Restaurant »Zur Eiche«. Die kochen saisonal mit viel frischem Gemüse und Kräutern aus dem eigenen Garten. Die Nudeln sind hausgemacht. Die »Eiche« liegt auf halbem Weg hinauf zur Bismarcksäule auf dem Markneukirchner Berg. Das ist eine Aussichtsplattform, von der aus man einen tollen Blick über das ganze Tal hat. Von der Innenstadt aus braucht man zu Fuß etwa eine halbe Stunde bis nach dort oben.

Wer einen Happen essen möchte, kann das auch in unserem Kino-Café. Die **Harmonie Lichtspiele** halten sich schon seit mehr als 90 Jahren hier in Markneukirchen. Das Haus ist eine nette Mischung aus Nostalgie und Neuzeit – aber mit einem komplett modernen Soundsystem. Man sitzt dort entspannt an niedrigen Wohnzimmertischen in dicken Ledersesseln, in die man sich so richtig reinfläzen kann. Fürs Kaffeetrinken kann ich das **Café Seifert** empfehlen, die backen exzellente Torten und Kuchen und stellen ihr eigenes Eis her. Neben seinem Ruf als »Musikwinkel« ist das Vogtland auch für seine Bäderkultur bekannt. Der Kurort Bad Elster liegt nur ein paar Minuten von Markneukirchen entfernt: Er hat einen schönen Kurpark und das **König Albert Theater,** wo auch mal größere Acts stattfinden. Und auf dem kleinen Louisa-See neben dem Kurpark kann man

Tretboot fahren – das finden Kinder super. Für Familien ist auch die **Sommerrodelbahn in Klingenthal** nett, da waren wir mit unseren drei Kindern schon oft.
Wer ein bisschen etwas über die Geschichte des Vogtlands lernen möchte, sollte sich unbedingt das **Freilichtmuseum Landwüst** anschauen. Ein Teil der alten Fachwerkhäuser, die man dort besichtigen kann, stammt aus anderen vogtländischen Dörfern, wo sie abgebaut und hier minutiös wieder aufgebaut wurden. Innen bekommt man einen guten Eindruck davon, wie das Leben vor 200 Jahren gewesen sein könnte. An bestimmten Tagen wird auch gezeigt, wie man eine Wiese mit der Sense mäht, wie Butter gemacht und wie ein Schaf geschoren wird. Aus dem Darm der Schafe wurden früher übrigens auch Saiten für Streich- und Zupfinstrumente hergestellt.
In der Nähe von Plauen liegt das sehenswerte Schloss Voigtsberg, in dem beeindruckende Renaissance-Gemälde hängen, aber auch Ausstellungen zu ganz unterschiedlichen Themen stattfinden. Ich war zum Beispiel einmal in einer über Spielzeug aus der DDR. Dieses Schloss und andere Burgen, in denen die Vögte regierten, waren es auch, die der Gegend ihren Namen gaben. Vielleicht ist deshalb so ein Burgbesuch der perfekte Einstieg oder Abschluss für eine Reise durchs Vogtland.
Kontakt: preussguitars.de

Deutsche Raumfahrtausstellung

Eine Hommage an den ersten deutschen Kosmonauten Sigmund Jähn

Rund 850 Einwohner, aber bis zu 70 000 Besucher pro Jahr, das muss man erst mal schaffen: Morgenröthe-Rautenkranz ist ein Ortsteil von Muldenhammer, und die Erinnerung an den berühmtesten Sohn der Stadt wird stetig gepflegt. »Hier wurde Sigmund Jähn geboren, der 1978 als erster Deutscher ins All geflogen ist«, sagt Romy Mothes, Ausstellungsleiterin der Deutschen Raumfahrtausstellung. »Mit unserem Museum wollen wir seine Bedeutung für die Erforschung des Weltalls abbilden und die Entwicklung der internationalen Raumfahrt veranschaulichen.« Zu sehen sind viele Modelle von Raketen und Satelliten sowie Gegenstände aus der Arbeit der Weltraumreisenden, darunter Anzüge, Produkte zur Körperpflege und Nahrungsmittel. Den größten Eindruck macht wohl die zehn Meter hohe Kapsel für Menschen: der **Nachbau des Basisblocks der russischen Raumstation MIR** – er wurde in Russland hergestellt und Anfang der Neunziger zum Europäischen Astronautenausbildungszentrum nach Köln gebracht. »Raumfahrer, die zur MIR geflogen sind, haben darin trainiert«, sagt Mothes; nach dem kontrollierten Absturz des Originals im Jahr 2001 landete der Nachbau in Sachsen. »Besonders spannend ist die Inneneinrichtung mit dem Wohn- und Aufenthaltsbereich.« Wobei »wohnen« ein Begriff mit großem Deutungsspielraum ist – aber immerhin ist dieser Bereich größer als die Schlafkabinen mit einer Fläche von je etwa einem halben Quadratmeter.

⭐ *Muldenhammer, Dr.-Sigmund-Jähn-Str. 4*
deutsche-raumfahrtausstellung.de

Schaustickerei Plauen

Alltagskunst nach Stich und Faden

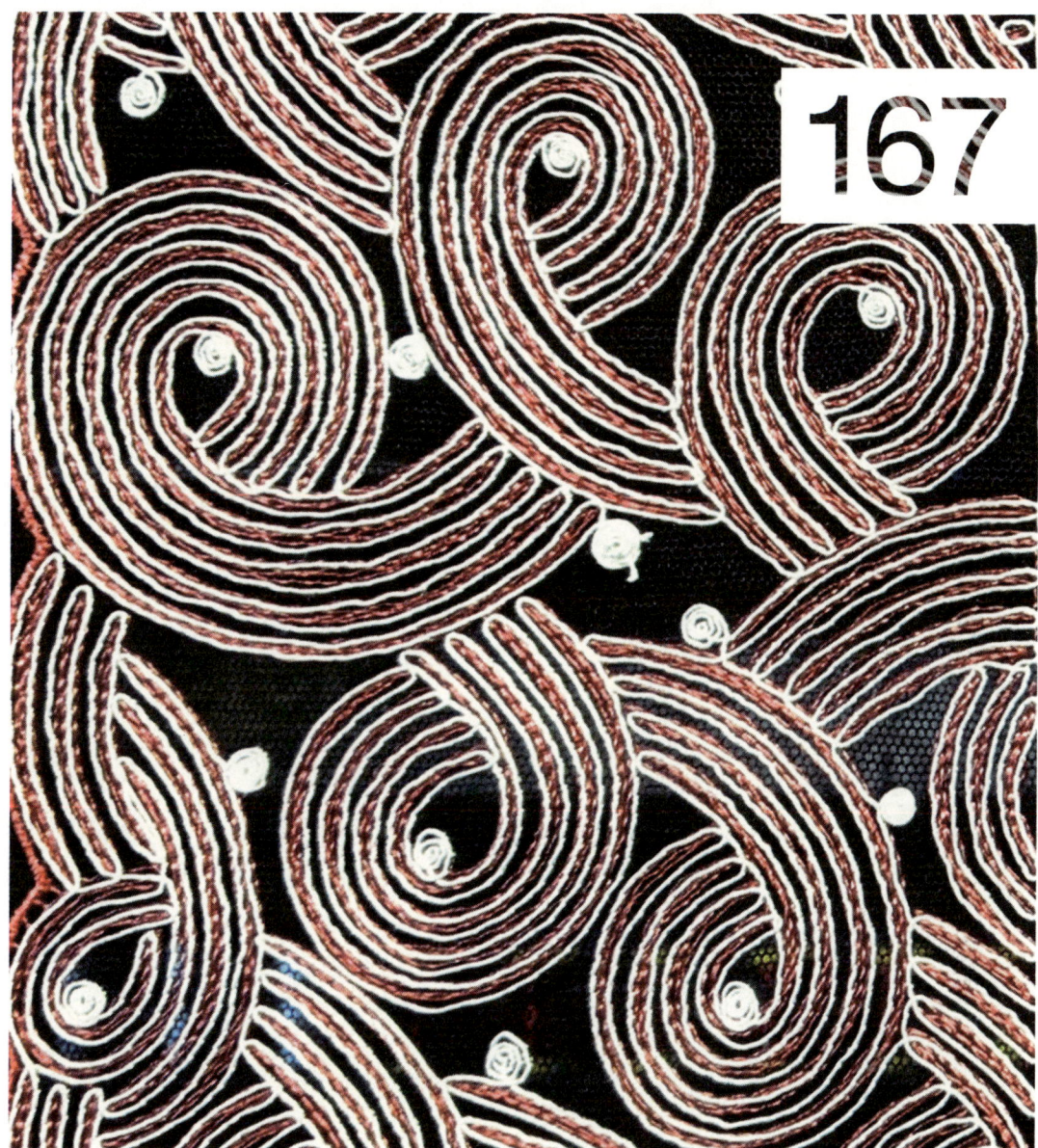

167

Wer sich fragt, welches Ansehen die industrielle Stickerei aus Plauen einmal auf der Welt hatte, der findet die Antwort in Paris: Dort bekam die **Plauener Spitze im Jahr 1900 auf der Weltausstellung den Grand Prix –** wohl die beste Werbung, die man sich vorstellen konnte. Zwei Jahre später wurde das Unternehmen in Betrieb genommen, in dessen Gebäuden sich heute die Schaustickerei Plauen befindet. »Wir zeigen nicht nur alte Stickereien und Maschinen, sondern auch die Technik dahinter«, sagt Dr. Frank Luft, wissenschaftlicher Mitarbeiter der Schaustickerei. »Viermal am Tag lassen wir die großen Maschinen laufen, von denen einige schon über 100 Jahre alt sind.« Die Giganten sind rund sechs Meter lang, ihr Rattern füllt die ganze Halle aus. Ruhiger geht es nebenan zu, wo Mitarbeiterinnen an Geräten, die aussehen wie Nähmaschinen, elegante Souvenirs wie Taschen und Schals für den Museumsshop fertigen. »Mit den Kleinstickmaschinen wurden Elemente, die maschinell hergestellt worden waren, von Hand zu Kleidungsstücken oder Heimtextilien zusammengenäht«, sagt Luft. Er zeigt auf eine runde Tischdecke, die an der Wand hängt: »Schätzen Sie mal, aus wie vielen Teilen die besteht!« Hm. 200 vielleicht? »Es sind 270!«, verrät Luft. »Am Ende musste alles exakt zusammenpassen und aussehen, wie aus einem Stück gemacht.« Manche mögen die Tradition der Stickerei in Plauen unterschätzen. Nach einem Besuch in diesem interessanten Museum nicht mehr.

⭐ *Plauen, Obstgartenweg 1*
schaustickerei-plauen.de

168-177
SACHSEN FÜR

*...alle Fälle. Möchten Sie etwas einkaufen, Kultur erleben oder lieber raus in die Natur?
In dieser Liste ist für alle etwas dabei. Sogar für Naschkatzen, denn Süßes geht immer*

SHOPAHOLICS

168

Die edle **Mädler-Passage** beeindruckt als prachtvolles Jugendstil-Bauwerk und beheimatet Geschäfte für Mode, Papeterie, Interieur und mehr. Tipp: Unbedingt auf einen Drink in »Auerbachs Keller« einkehren – weltberühmt aus Goethes »Faust«.
*Leipzig, Grimmaische Str. 2-4
maedlerpassage.de*

169

Von der zauberhaften Straßburg-Passage mit ihren Geschäften über den hippen Concept Store »Mayerei« bis hin zum sympathischen Unverpackt-Laden »Emma's Tante«: Wer die Görlitzer **Jakobstraße** entlangschlendert, kommt wahrscheinlich mit mehr schönen Dingen nach Hause als geplant.
Görlitz, Jakobstraße, goerlitz.de

LESERATTEN

170

Stempel aus dem alten China, Tätowiergeräte und Druckerpressen: Allein das **Deutsche Buch- und Schriftmuseum** ist einen Besuch in der Deutschen Nationalbibliothek wert, die ca. 20 Millionen Bücher, Tonträger und mehr bewahrt. Mitte März startet eine Ausstellung über den »Grüffelo«-Illustrator Axel Scheffler.
Leipzig, Deutscher Platz 1, dnb.de/dbsm

171

Ob Norweger, Amerikaner oder Görlitzer: Jana Krauss' Gäste lieben die Ruhe im **Art Goreliz.** In der östlichsten Buchhandlung Deutschlands darf man bei selbst gebackenem Kuchen stundenlang antiquarische Schätze und ausgewählte Neuheiten lesen.
*Görlitz, Weberstr. 9/10
facebook.com/ArtGoreliz*

NASCHKATZEN

172

Wenn ihre Kunden die Eissorte Traminer probieren, die Oksana Knafla nahe Schloss Pillnitz in ihrer mintgrünen Ape **LisaLi** verkauft, kann sie ihnen den Elbhang gegenüber zeigen, an dem die Trauben für ihre Kreation wachsen. Ihren genauen Standort teilt sie auf Facebook mit.
Dresden, August-Böckstiegel-Str. oder Wünschendorfer Str., eismanufaktur-lisali.de

173

Wir sind ziemlich sicher, dass die Konditoren von **Kaffee Wippler** anders als in Carl Maria von Webers Oper »Der Freischütz« keinen Pakt mit dem Teufel geschlossen haben, um ihre »Freikugeln« herzustellen. In der Oper sind es treffsichere Geschosse, hier köstliche Marzipanpralinen made in Dresden.
Dresden, Körnerplatz 2, kaffee-wippler.de

ARCHITEKTURFANS

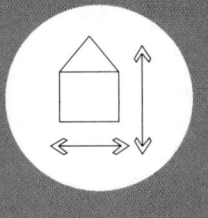

174

Das **Haus Schminke** zählt zu den wichtigsten Beispielen der Klassischen Moderne weltweit. Das Wohnhaus des Nudelfabrikanten Fritz Schminke wurde Anfang der 1930er Jahre von Hans Scharoun entworfen. Heute kann man es besichtigen und sogar darin übernachten.
*Löbau, Kirschallee 1b
stiftung-hausschminke.eu*

175

In einem Meisterwerk des Bauhaus-Stils darf man normalerweise nicht herumtoben – hier schon: im **Stadtbad Chemnitz,** entworfen von Stadtbaudirektor Fred Otto, das seit 1935 mit seiner schnörkellosen Eleganz beeindruckt und durch dessen gläserne Decke in der Haupthalle sanftes Tageslicht strömt.
Chemnitz, Mühlenstr. 27, chemnitz.de

NATURFREUNDE

176

Halten Sie nach Seeadlern und Fischottern Ausschau, wenn Sie durch die **Oberlausitzer Heide- und Teichlandschaft** wandern oder radeln. In dem UNESCO-Biosphärenreservat leben mehr als 5000 Tier- und Pflanzenarten, viele davon stehen auf der Roten Liste.
Malschwitz, Haus der 1000 Teiche, Warthaer Dorfstr. 29, biosphaerenreservat-oberlausitz.de

177

Im Mai färbt der Ginster die **Königsbrücker Heide,** ein 70 Quadratkilometer großes, ehemaliges Militärgebiet, flammend gelb, im August blüht die Heide. Vom Heideturm bei Zochau kann man Kraniche beobachten, die inzwischen ganzjährig hier leben.
*Königsbrück, Infothek, Weißbacher Str. 30
nsgkoenigsbrueckerheide-gohrischheide.eu*

ENTDECKEN SIE IHRE HEIMAT NEU!

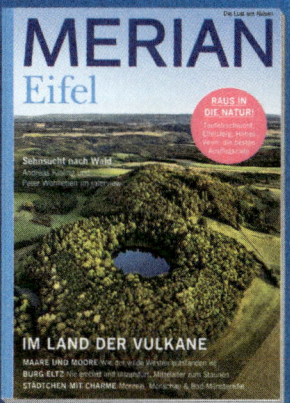

uvm.

Mit uns können Sie Deutschland neu entdecken!

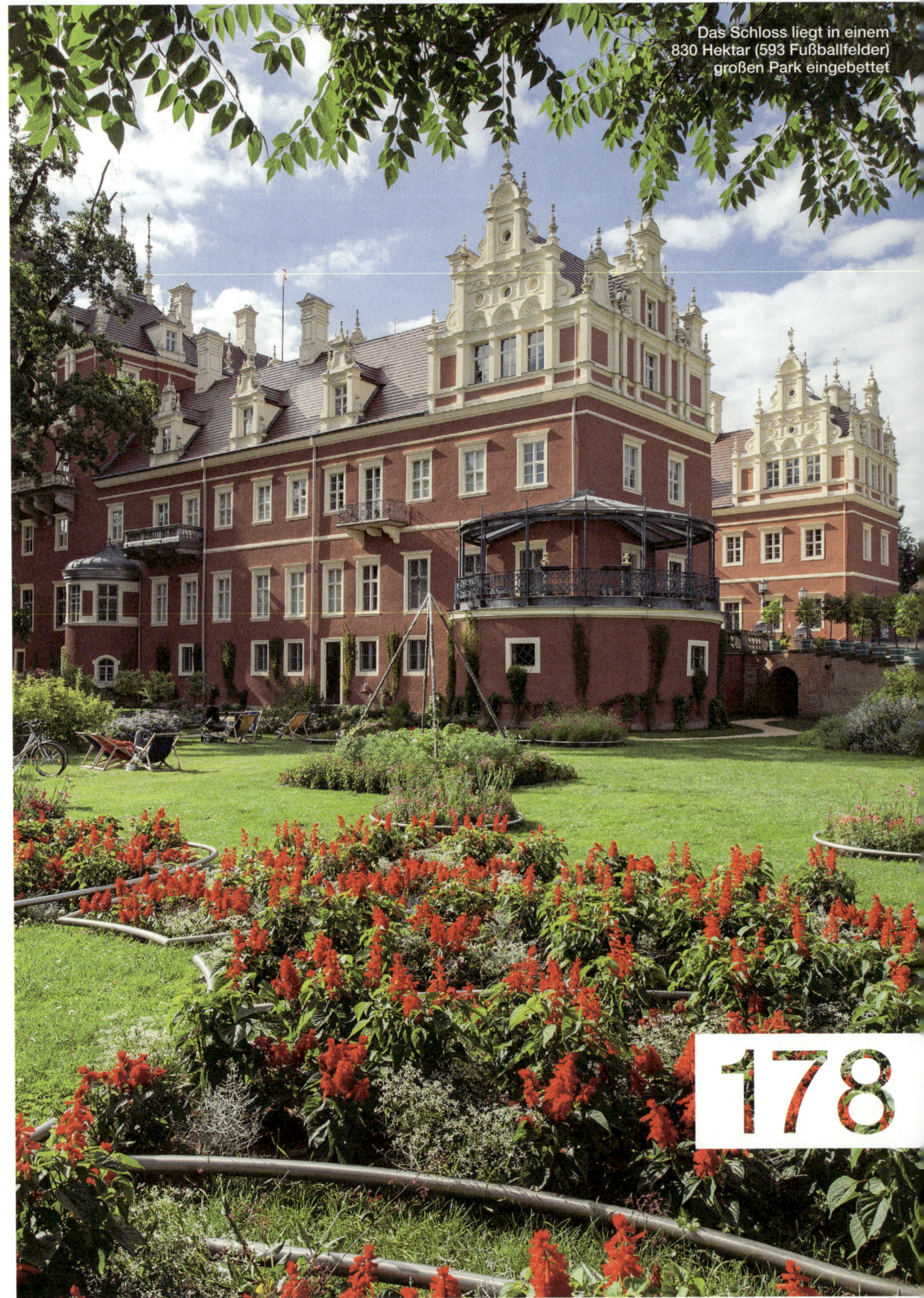

Das Schloss liegt in einem
830 Hektar (593 Fußballfelder)
großen Park eingebettet

178

Die größte Teichlandschaft Mitteleuropas, das Lebenswerk eines Exzentrikers und ein märchenhaftes Gebirge: Sachsens Osten ist ein Paradies für Naturliebhaber, Gartenfreunde und Outdoorfans

Fürst-Pückler-Park

Was für eine Pracht! Um ihr gerecht zu werden, braucht man Zeit, sowohl für den Besuch des roten Schlosses als auch für den riesigen Park in Bad Muskau. Am besten entdeckt man das Gelände mit dem Rad (kann man dort leihen). Entlang der Neiße ziehen sich weite Wiesen, unterbrochen von wie mit dem Pinsel hingetupften Seen und Beeten, alles ist perfekt aufeinander abgestimmt. Der Schöpfer dieses Gesamtkunstwerks, der Weltreisende Hermann Ludwig Heinrich von Pückler-Muskau (1785-1871), hatte in England gelernt, wie man durch Sichtachsen und genial gesetzte Akzente diese **Mischung aus Eleganz und Wildnis** erzeugt. Dort und in Afrika ließ er sich inspirieren, um sich in seiner sächsischen Heimat sein persönliches Paradies zu erschaffen. Zwei Drittel des Areals, inzwischen UNESCO-Weltkulturerbe, liegen heute auf polnischer Seite. Seit den 1990er Jahren wird das Gelände von Deutschen und Polen gemeinsam gepflegt.
☆ *Bad Muskau, muskauer-park.de*

FOTO: WALTER SCHMITZ

Die »Wiege der Wölfe«

Sie zählt zu den am dichtesten besiedelten Revieren der Rudel-tiere: die Lausitz. Die Biologin Catriona Blum-Rérat nimmt Besucher mit auf Wildtiersafari und bildet »Wolf-Spotter« aus

Bietet seit rund zehn Jahren Wolfsführungen an: Die Biologin Catriona Blum-Rérat, 40

179

MERIAN scout: Frau Blum-Rérat, warum sollte man ausgerechnet in die Lausitz kommen, um Wölfe zu beobachten?

CATRIONA BLUM-RÉRAT: Tatsächlich ist die Lausitz so etwas wie die »Wiege der Wölfe« in Deutschland. Nachdem die Tiere vor rund 170 Jahren hierzulande ausgerottet wurden, hat sich hier 1999 das erste Wolfspaar wieder angesiedelt und ein Jahr später fortgepflanzt. Ein weiterer Grund sind natürlich unsere Wolfstouren, bei denen die Besucher fundiertes und vor allem aktuelles Wissen vermittelt bekommen. Denn ich arbeite nicht nur als Guide, sondern auch als Biologin beim Lupus Institut für Wolfsmonitoring und -forschung.

Wie wahrscheinlich ist es denn, bei Ihren Touren Wölfen zu begegnen?

Sagen wir so: In Sachsen leben zurzeit 29 Rudel, drei Paare und zwei Einzeltiere. Unsere Touren sind recht lang, es gibt Tagesausflüge bis hin zu mehrtägigen Exkursionen, bei denen wir uns die ganze Zeit im Territorium der Tiere aufhalten. Und wir suchen Aussichts-

plattformen auf, von denen wir sie häufig aus der Ferne beobachten können. Aber wie bei jeder Wildtiersafari können wir natürlich nicht versprechen, dass man wirklich einen Wolf zu Gesicht bekommt.

Und was erwartet die Teilnehmer sonst noch?

Es gibt viele andere Tiere, die wir mit etwas Glück beobachten können, etwa Kraniche, Seeadler und Störche. Außerdem sind große Hirschrudel in der Lausitz ansässig, und vor allem während der Brunft im Herbst kreuzen sie häufig unseren Weg. An Flussläufen können wir Biberbaue entdecken. Aber um noch mal auf die Wölfe zurückzukommen: Selbst wenn wir keinem begegnen, können wir unterwegs viel Wissen über die Tiere vermitteln.

Was denn zum Beispiel?

Wir bringen unseren Teilnehmern beispielsweise bei, wie sie Spuren von Wölfen – etwa Kot und Pfotenabdrücke – von denen anderer Tiere unterscheiden können, und zeigen, wie man diese Funde richtig dokumentiert. Eines unserer Ziele ist nämlich, unsere Besucher zu Wolf-Spottern auszubilden. Dann können sie sich auch in ihrer Heimat auf Wolfssuche begeben und den Behörden ihre Beobachtungen melden.

Welche Jahreszeit eignet sich besonders gut für Wolfsafaris?

Mit etwas Glück können Besucher im Sommer Wölfe mit Jungtieren beobachten – allerdings selten so nah

Früher hätte ich sofort geantwortet: der Herbst. Denn dann sind die Jungtiere, die im Mai geboren wurden, größer und sehr mobil. Aber im vergangenen Jahr hatten wir im Sommer die meisten Sichtungen. Fast bei jeder unserer Touren konnten wir von einer Plattform aus eine Fähe mit ihren Welpen aus der Ferne beobachten. Im Winter sieht man am ehesten Pärchen, die unterwegs sind, um ihr Territorium zu markieren. Und wenn Schnee liegt, kann man darin wunderbar Spuren entdecken.

Mit Ihnen an der Seite Wölfe aufzuspüren, ist das Eine. Aber was mache ich denn, wenn ich allein einem Wolf begegne?

Dass ein Spaziergänger zufällig einen Wolf aus der Nähe sieht, ist wirklich selten. In den meisten Fällen bekommt das Tier viel schneller mit, dass Menschen in seiner Umgebung sind als umgekehrt. Das wissen wir aus dem Monitoring. Die häufigsten Sichtungen, die man uns meldet, kommen von Autofahrern. Kaum steigen sie aus dem Wagen aus, haut der Wolf ab. Wenn das einmal nicht der Fall sein sollte und Sie ein mulmiges Gefühl haben, können Sie ihn durch laute Rufe vertreiben. Aber ich würde sagen: Bleiben Sie ruhig und genießen Sie das Erlebnis!

⊛ Spreetal, Dorfaue 9, wolflandtours.de

Lausitz Resort

Wie silberne Muscheln schwimmen die Ferienhäuser auf dem Geierswalder See

180

Wenn der Wind über den Geierswalder See fegt, fühlt man sich ein bisschen wie am Meer. Selbst wenn der Blick auf diesem mehr als sechs Quadratkilometer großen Stausee dann doch auf einen schmalen Streifen Land fällt und nicht auf Wasser, das in Dunst übergeht. Besonders nah fühlt man sich dieser Weite in einem der gut ausgestatteten und stilvoll eingerichteten schwimmenden Ferienhäuser des »Lausitz Resorts«, von denen eine Handvoll an einem Steg liegen. Zu einer Seite bietet ihr gewölbtes Dach einen höhlenartigen Rückzugsort. Zu den anderen Seiten öffnen sie sich durch **Sonnenterrasse und Glasfassaden** ganz ihrer Umgebung. Die moderne Architektursprache passt gut zum See, der selbst noch nicht lange auf Landkarten eingezeichnet ist. Bis in die 1970er Jahre wurde an seiner Stelle Braunkohle abgebaut, das Tagebau-Restloch schließlich mit dem Wasser der Schwarzen Elster geflutet. Seit 2006 ist er freigegeben. Zusammen mit den elf umliegenden Seen, die zu einer Kette zusammenwachsen sollen, bildet er die größte künstliche Wasserlandschaft Europas. Und die wird ausgelassen genutzt: zum Segeln, Stand-up-Paddeln, Kiten, Surfen und natürlich zum Schwimmen an einem der Strände. Doch nicht nur in der Badesaison zieht es Urlauber hierher. Man kann sich auch auf die Spuren des Zauberjungen Krabat aus der sorbischen Sage begeben und etwa zur nahen Mühle in Schwarzkollm fahren. Oder um den See wandern. 16 Kilometer sind es um dieses kleine »Meer« herum, die man auch radeln oder skaten kann.

Elsterheide, Scadoer Straße, lausitz-resort.de

FOTOS: SEBASTIAN KRICK/SEEHUND MEDIA, RICO HOFMANN

Schon im 19. Jahrhundert kamen die Bürger im »Hoyerswerdaer Gesellschaftshaus« zusammen, um im Ballsaal zu tanzen oder zu kegeln. Auch heute ist der gelbe Bau im Herzen der Altstadt als Sitz der Kulturfabrik Hoyerswerda ein Treffpunkt: Familien besuchen Theatervorführungen, es gibt Medien-Workshops, Bands treffen sich im Proberaum, und Cineasten sehen im hauseigenen Programmkino ausgesuchte Filme. Im modernen Anbau (im Bild mit einer Skulptur von Helge Niegel) befindet sich neben der Tourismus-Information die **Galerie »Kunst-Raum«,** wo zeitgenössische Künstler ihre Werke präsentieren, darunter auch einige aus der Region wie die sorbische Malerin Maja Nagel oder der Lausitzer Fotograf Torsten Lützner. Und in der »Auszeit Bar« kann man den Abend nach dem Besuch eines Konzerts oder einer Lesung bei einem Drink ausklingen lassen.

⭐ *Hoyerswerda, Braugasse 1*
kufa-hoyerswerda.de

181

Kulturfabrik Hoyerswerda

182

Filmreife Kulisse

Wenn es windstill ist, bildet die Spiegelung der Brücke über den Rakotzsee einen fast perfekten Kreis. Ihr Bogen wirkt beinahe zerbrechlich, obwohl er aus schweren Feldsteinen besteht. Die Brückenpfeiler sind aus Basaltsäulen gemacht und passen zu dem bizarren Gebilde aus Stein weiter hinten, das aussieht, als hätte eine Brandung in früheren Zeiten nur den Rest eines Felsens stehen lassen. Es ist ein Kunstwerk namens »Orgel«, ebenfalls aus Basaltsäulen, und ein Kontrast zur halbrunden Form der Brücke, die es mit ihrer Spiegelung einrahmt. Den Basalt ließ Friedrich Hermann Rötschke, der das Ensemble Mitte des 19. Jahrhunderts in Auftrag gab, **aus Steinbrüchen der Sächsischen Schweiz und Böhmen** holen. So verwunschen der See in der nördlichen Lausitz wirken mag, ein vergessener Ort ist er nicht, im Gegenteil: Gerade gelangte er zu neuer Berühmtheit, nachdem er samt Rakotzbrücke im neuen »Matrix«-Film auftauchte. Darin ist sie kurz in einer Kampfszene zu sehen. Die Realität ist deutlich friedlicher: Der See liegt am Rand des Landschaftsparks Kromlau. Besonders lohnt sich der Besuch im Mai. Dann verwandeln die riesigen Rhododendren den Park in ein geradezu filmreif buntes Blütenmeer.

⭐ *Gablenz, Parkplatz Rhododendronpark Kromlau, kromlau-online.de*

Wirkt wie das Portal zu
einer anderen Welt: die
Rakotzbrücke in Kromlau

Rakotzbrücke

*Die kleine Berühmtheit aus Feldsteinen und
Basalt im Rhododendronpark Kromlau ist längst
ein Hotspot für Fotografen aus aller Welt*

BURG UND KLOSTER OYBIN

Schon die Maler der Romantik zog es zu dieser eindrucksvollen Ruine hin

183

Steht man am Fuß des 514 Meter hohen Sandsteinkolosses Oybin, kann man sich vorstellen, wie wehrhaft die **Burg- und Klosterruine** auf seinem Gipfel einst war. Eine Anlage gab es schon 1100 v. Chr., das Kloster stiftete Karl IV. im 14. Jahrhundert an die Cölestiner, die es mit der Reformation verließen. 1577 schlug der Blitz ein, 1681 verwandelte ein Felsabriss das Ensemble mehr denn je in eine Ruine. Dieses Flair liebten die Maler der Romantik, die Oybin vom 18. Jahrhundert an entdeckten. Warum der Ort sie anzog, verstehen alle sofort, die die Treppen zur Kirche hochsteigen: Die gotischen Fenster, das fehlende Dach, durch das der Himmel hereinschaut – es ist, als stünde man in einem Gemälde von Caspar David Friedrich.

⭐ *Oybin, burgundkloster-oybin.com*

SEHENSWERTES IN ZITTAU

184 ### KIRCHE ZUM HEILIGEN KREUZ

Das Fastentuch von 1472 erzählt die Bibelgeschichte in 90 Bildern und ist das drittgrößte weltweit.

⭐ *Zittau, Museum »Kirche zum Heiligen Kreuz«, Frauenstr. 23*

185 ### JOHANNISKIRCHE

Karl Friedrich Schinkel baute den barocken Neubau um. Unbedingt auf die Aussichtsplattform steigen.

⭐ *Zittau, Johannisplatz 1*

ZUCKERWERK & REBENSAFT

Die Genusswerkstatt schlechthin am Görlitzer Obermarkt

186

Café? Weinhandlung? Oder Konditorei? So recht lässt sich »Zuckerwerk & Rebensaft« nicht in eine Schublade stecken. »Deshalb«, sagt Konditormeisterin Anemone Müller-Großmann (links) lachend, »bezeichnen wir uns selber gern als Genusswerkstatt.« Tagsüber kaufen die Kunden bei ihr und Marita Hoffmann **Weine, Edelbrände, Fruchtaufstriche und Gebäck,** das so schön aussieht, dass ihre Törtchen sogar im in Görlitz gedrehten Film »The Grand Budapest Hotel« vorkamen. Wem angesichts von Schokotarte oder Sesam-Nougat-Krokant-Torte das Wasser im Mund zusammenläuft, kann sie mit einem Tässchen Bio-Kaffee vor Ort genießen. Und abends gibt es variierende Gourmet-Verkostungen.

🍴 *Görlitz, Obermarkt 8*
zuckerwerkundrebensaft.de

GANZ IN DER NÄHE

187 **LUCIE SCHULTE**

Bei gutem Wetter lässt Bernd Schade leckere Gerichte im hübschen Innenhof servieren.
🍴 *Görlitz, Untermarkt 22*
lucieschulte.de

188 **BIOVIVO**

Hier findet man schöne, fair produzierte Mode aus Naturstoffen.
🛍 *Görlitz, Brüderstr. 12*
biovivo.net

Görlitzer Perlen

In der Neiße-Stadt reiht sich ein Architektur-Highlight an das nächste. Ein Rundgang von der Renaissance bis zum Jugendstil

189

SCHÖNHOF

Dieses reich verzierte Gebäude von 1526 ist das älteste Renaissance-Bürgerhaus in Görlitz. Heute befindet sich darin und in drei angrenzenden Bauten das Schlesische Museum. Es erzählt nicht nur von Besiedlung, Alltag und Kultur, im Haus kann man auch die filigranen Bemalungen an Wänden und Deckenbalken bewundern.
⭐ *Brüderstr. 8, schlesisches-museum.de*

190 JUGENDSTIL-KAUFHAUS

Die verglaste Decke und die monumentalen Kronleuchter sieht man bei Führungen oder im Film »The Grand Budapest Hotel«.

⭐ *An der Frauenkirche 5-7, kaufhaus-goerlitz.eu*

191

RATSAPOTHEKE

Das 1550 bis 1552 errichtete Haus mit schmucker Fassade im Renaissance-Stil und zwei Sonnenuhren beherbergt heute ein Café.

⭐ *Untermarkt 24, ratscafe-goerlitz.de*

193
BIBLIOTHEK DER WISSENSCHAFTEN

Unbedingt die prunkvollen Bücherbögen im klassizistischen Lesesaal anschauen.

⭐ *Neißstr. 30, goerlitzer-sammlungen.de*

192

SYNAGOGE

Das Gotteshaus von 1911 überstand die NS-Zeit fast unbeschadet und beeindruckt mit Elementen des Jugendstils und des Neoklassizismus.

⭐ *Otto-Müller-Str. 3, synagoge-goerlitz.de*

BEI REGEN

Draußen stürmt und schüttet es? Kein Problem, zwischen Chemnitz, Lausitz und Erzgebirge gibt es zu Sachsens Outdoor-Attraktionen ein paar ziemlich gute Alternativen

ENTDECKEN

INDUSTRIEMUSEUM CHEMNITZ

In der Bogenhalle von 1907, einst Gießerei, erfährt man, wie Textilindustrie, Maschinen- und Bergbau Sachsen über gut zwei Jahrhunderte zu Wohlstand verhalfen. Ein echter Hingucker ist der Trabbi von 1988 mit integriertem Dachzelt.

Chemnitz, Zwickauer Str. 119
saechsisches-industriemuseum.com **194**

SCHMETTERLINGSHAUS JONSDORF

Wenn Sie ganz still stehen, setzt sich vielleicht der Kleine Postbote, der Königspage oder der Scharlachrote Ritter auf Ihre Schulter. Mit ihren geflügelten Artgenossen flattern sie frei durch den Indoor-Regenwald in Jonsdorf bei Zittau.

Jonsdorf, Zittauer Str. 24
schmetterlingshaus.info **195**

KARL-MAY-MUSEUM

Der Autor nannte sein Wohnhaus »Villa Shatterhand«, heute kann man darin die schön eingerichtete Bibliothek, Wohnräume und neben-

an eine Ausstellung über die Ureinwohner Nordamerikas sehen.

Radebeul, Karl-May-Str. 5
karl-may-museum.de **196**

SCHLOSS DELITZSCH

In die opulent ausgestatteten Herzoginnenräume möchte man direkt einziehen, in die Zellen des früheren Frauengefängnisses eher nicht. Toll ist der Blick vom Turm, der je nach Wetter bis nach Leipzig reicht.

Delitzsch, Schloßstr. 31
barockschloss-delitzsch.com **197**

---

198 *Spielen*

BARNEBY

Mehr als 400 Spiele, darunter Klassiker wie »Monopoly« und »Die Siedler von Catan« kann man in dieser Bar in gemütlicher Wohnzimmeratmosphäre ausprobieren und dazu einen Happen essen.

Dresden, Görlitzer Str. 11
barneby-dresden.de

ENTSPANNEN

SOLETHERME BAD ELSTER

Im gut 30 Grad warmen Solebecken fühlt es sich an, als würde man schweben. Das Wasser des Thermalbads stammt aus einer Quelle im Elstertal. Es enthält zahlreiche Mineralien und besonders viel Natriumsulfat. Gut für die Muskeln und das Immunsystem.

Bad Elster, Badstr. 6
saechsische-staatsbaeder.de **199**

HOTEL SCHUMANN

Wenn Sie sich einmal etwas Besonderes gönnen wollen: Das Spa in diesem exklusiven Hotel (ab 36 Euro für Tagesgäste) ist ein Wellness-Traum in edlem Ambiente: Von Sauna und Kneippbecken über den Außenpool bis zum türkischen Hamam, hier bleiben kaum Wünsche offen. Für eine Tageskarte vorher reservieren. Gäste der Juniorsuite können im »Flying Pool« mit toller Aussicht auf dem Dach schwimmen.

Schirgiswalde-Kirschau, Bautzener Str. 74, bei-schumann.de **200**

Impressum

MERIAN scout erscheint in der Jahreszeiten Verlag GmbH

Harvestehuder Weg 42, 20149 Hamburg, Tel. +49 40 2717-0
Redaktion: Tel. +49 40 2717-2600, E-Mail: redaktion@merian.de, Internet: merian.de

CHEFREDAKTEUR
Hansjörg Falz

**STELLVERTRETENDE
CHEFREDAKTEURIN**
Kathrin Sander

ART DIRECTION
Inke Cron

CHEFIN VOM DIENST
Jasmin Wolf

TEXTREDAKTION
Projektleitung: Silvia Tyburski (fr.);
Alexandra Frank (fr.), Katharina
Müller-Güldemeister (fr.),
Inka Schmeling, Pia Volk (fr.),
Burkhard M. Zimmermann (fr.);
Raphael Bergmann (fr.)

BILDREDAKTION
Tanja Foley

REDAKTIONSMANAGEMENT
Bodo Drazba

ASSISTENZ DER CHEFREDAKTION
Anne Dreßel

**VERANTWORTLICH
FÜR DEN RED. INHALT**
Hansjörg Falz

GESCHÄFTSFÜHRUNG
Thomas Ganske, Sebastian Ganske,
Susan Molzow (CEO), Peter Rensmann,
Arne Bergmann

BRAND OWNER/VERLAGSLEITUNG
Oliver Voß

HEAD OF EDITORIAL OPERATIONS
Bartosz Plaksa

GESAMTVERTRIEBSLEITUNG
Jörg-Michael Westerkamp, Stefan Hagel
(Zeitschriftenhandel),
Thomas Voigtländer (Buchhandel)

HEAD OF SALES
Helma Spieker (verantwortlich für Anzeigen)

**ANZEIGEN
VERKAUFSBÜRO INLAND**
Henning Meyer (Senior Brand Manager)
Tel. +49 40 2717-2496
Corinna Plambeck-Rose (Disposition)

Nord Jörg Slama
Tel. +49 40 22859-2992
joerg.slama@jalag.de

Mitte Michael Thiemann
Tel. +49 40 22859-2996
michael.thiemann@jalag.de

Südwest Marco Janssen
Tel. +49 40 22859-2997
marco.janssen@jalag.de

Süd Andrea Tappert
Tel. +49 40 22859-2998
andrea.tappert@jalag.de

**DIE PREMIUM MAGAZIN GRUPPE
IM JAHRESZEITEN VERLAG**
Gültige Anzeigenpreisliste: Nr. 10
ISBN 978-3-8342-3354-7
ISSN 2627-3241
Erstverkaufstag dieser
Ausgabe ist der 08.04.2022

VERTRIEB
DPV Vertriebsservice GmbH
www.dpv-vertriebsservice.de

LITHO
K+R Medien GmbH, Darmstadt

DRUCK UND VERARBEITUNG
Walstead Kraków
Sp. z o.o., Obronców Modlina 11
30-733 Krakau, Polen

ERSCHEINT IM

EIN UNTERNEHMEN DER GANSKE VERLAGSGRUPPE

MIT FREUNDLICHER UNTERSTÜTZUNG DER TOURISMUS MARKETING GESELLSCHAFT SACHSEN MBH

WEITERE TITEL DER JAHRESZEITEN VERLAG GMBH: A&W ARCHITEKTUR & WOHNEN, CLEVER LEBEN, COUNTRY,
DER FEINSCHMECKER, FOODIE, HOLIDAY, LAFER, MERIAN, POLETTO, PRINZ, ROBB REPORT, SCHÖNER REISEN, WEIN GOURMET

FOTOS: ISABELA PACINI, PETER HIRTH, GEORG KNOLL

HEIMWEH?!

*Autorin Paula Irmschler, 33, ist in Dresden aufgewachsen und hat in
Chemnitz studiert, wo auch ihr Buch »Superbusen« (Claassen Verlag) spielt.
Heute lebt sie in Köln, kommt aber gern und oft nach Chemnitz zurück*

**MERIAN scout: Wenn du heute in deine alte
Heimat fährst, was ist dann anders?**
PAULA IRMSCHLER: *Vor allem meine Situation.
Als ich noch in Sachsen gewohnt habe, war ich ständig pleite und konnte am kulturellen Leben kaum
teilnehmen. Wir haben viel drinnen rumgehangen,
waren allenfalls mal im
»Subbotnik«, wo es billiges
Bier und Essen gab. Wenn
ich jetzt in Chemnitz bin, sitze
ich mit Freunden auch mal im
»Balboa«, eine neue Kneipe
auf dem Brühl, oder gehe ins
»Tesla«. Das ist auch nett, aber
eher nicht zum Rumsitzen.*

**In »Superbusen« zieht
eine Studentin nach
Chemnitz, so wie du
selbst vor zwölf Jahren.**
*Ja, das habe ich aus meinem
Leben abgeschrieben. Ich
wusste damals gar nichts von
Chemnitz, wenn man in Dresden aufwächst, hält man die
Stadt für den Nabel der Welt.
Ich mag an Chemnitz das,
was Dresden nicht hat: Diese
sozialistischen Bauten, diese
brutale Betonarchitektur. Besonders schön finde ich die
Gegend rund um den Marx-
Kopf mit dem alten Hotel, dem
Terminal und den hohen Plat-
tenbauten. Die Straße der Nationen ist auch nicht
schlecht. Und eigentlich mag ich auch die Jugendstil-
häuser auf dem Kaßberg, weil sie eben nicht so prunk-
voll sind. Bescheidener Jugendstil sozusagen.*

Und was gefällt dir an Dresden?
*Es ist rein ästhetisch schon wirklich ansehnlich. Ich
hatte vergessen, wie schön es an den Elbwiesen ist.
Ich könnte stundenlang dort spazieren gehen.*

**Dein Buch beschreibt auch das Nachtleben
in Chemnitz sehr eindrücklich. Ist das auch in
Wirklichkeit so?**
*Auf jeden Fall. Es gibt nicht viele Orte, aber dafür ist
das Nachtleben konzentrierter. Die Konzerte sind kleiner, es sind weniger Menschen da, und es ist einfacher,
Leute kennenzulernen. Die Stadt wandelt sich auch
ständig. Kneipen machen zu und an anderer Stelle wieder auf, Clubs wie das »Atomino« – eine Institution –
ziehen um und erfinden sich immer wieder neu. In der
Stadt kann man was verändern, wenn man Bock hat
und gute Nerven. Seit ein paar Jahren gibt es die
Begehungen, ein Kunstfestival, dass immer an anderen Orten stattfindet, mal in
einem Gefängnis, mal in einem alten Kulturpalast.*

**In deinem Buch kommen
viele Songs vor. Was
wäre ein passender
Soundtrack zu Chemnitz?**
*Also, da müsste ich »Don't
look back in anger« nehmen,
weil es hier auf absolut jeder
Party spätestens um drei Uhr
läuft und sich dann doch wieder alle in den Armen liegen.*

**Chemnitz wird 2025 Euro-
päische Kulturhauptstadt.
Was wünscht du dir für
die Stadt?**
*Mehr Unterstützung für die
Akteure, die jetzt schon was
auf die Beine stellen, vor allem
gegen Rechts. Die Videos, in
denen Menschen durch die
Straßen gejagt werden, kennt
vermutlich die halbe Welt.
Danach kamen die »Wir sind
mehr«-Konzerte. Ich fände es
schön, wenn die nicht mehr nur Reaktion und Aus-
nahmeerscheinung bleiben. Ich wünsche mir mehr
Möglichkeiten für junge Kultur. Platz hat die Stadt ja
genug dafür und eigentlich auch einen Haufen junger
Leute, die Bock haben, etwas auf die Beine zu stellen.
Ich hoffe, dass man das 2025 sehen kann.*

»Don't look back in anger« wäre
Paula Irmschlers Chemnitz-Song

201 SCHLOSSTEICH

Ein paradiesischer Ort, den man so nicht
erwartet. Man kann sich ein pinkfarbenes
Flamingotretboot ausleihen und über den
Teich schippern.
⭐ facebook.com/Gondelstation

IMPRESSUM
Herausgeber:
Gräfe und Unzer Verlag GmbH
Grillparzerstraße 12,
81675 München

© 2022 Gräfe und Unzer
Verlag GmbH, München

Projektleitung:
Ariane Scheidig
Produktion & Redaktion:
freischreiberei /
Cordula Schneider (Ltg.),
Natalie Decker,
Dr. Maria Ponholzer (Lektorat)
Art Direktion & Gestaltung:
Yinin Got, Mayumi Bockhold
Bildredaktion:
Dr. Nafsika Mylona,
freischreiberei
Druck und Bindung:
Firmengruppe APPL, Wemding
Anzeigenvermarktung:
ADAC Camping GmbH
Telefon: +49 30 2178 24 04
E-Mail: sales@adac-camping.de
Webseite: www.adac-camping.de

Ausgabe 2022

Leserzuschriften: Wir freuen
uns über Ihre Anregungen,
Kritik und Fragen zu unserem
Campingmagazin unter der
E-Mail-Adresse campingmaga-
zin@graefe-und-unzer.de

Liebe Leserin, lieber Leser,

du hältst gerade unser neues PiNCAMP Magazin in Händen – vollgepackt mit den besten Tipps und Tricks für Camper und alle, die es werden wollen. PiNCAMP ist das Camping-Portal des ADAC. Hier findest du verlässliche Informationen zu über 10.000 Campingplätzen in ganz Europa. In diesem Magazin stellen wir dir die schönsten Campingplätze vor und verraten, wie nachhaltiges Camping klappen kann. Dazu gibt's jede Menge Inspiration für die Reisevorbereitung und deine nächste Tourenplanung. Wie wäre es zum Beispiel mit einer entspannten Wanderung durch das malerische Brandenburg? Oder mit einer wohltuenden Kombination aus Yoga- und Campingurlaub? Falls dir noch das nötige Equipment fehlt, blättere schnell auf Seite 38: Dort kannst du zehn Tage im Wohnmobil gewinnen! Wir wünschen dir viel Vergnügen beim Lesen, Planen und Träumen – wir sehen uns dann auf dem Campingplatz!

Uwe Frers
Geschäftsführer ADAC Camping GmbH

INHALT

Jetzt mitmachen und gewinnen

CAMPING ONLINE BUCHEN

Suchen, Buchen, Campen: PiNCAMP, das Camping-Portal des ADAC, hilft dir dabei, den perfekten Stellplatz für deinen nächsten Urlaub zu finden.

Lange Schlangen vor Campingplätzen, verärgerte Camper auf der Suche nach einem Stellplatz: So sah der Sommer 2021 für viele (Neu-) Camper aus. Denn Urlaub mit dem Wohnmobil, Wohnwagen und Van erlebt derzeit einen echten Boom. Im Jahr 2020 verzeichnete das Kraftfahrtbundesamt 40 Prozent mehr Neuzulassungen bei Reisemobilen – und von Januar bis September 2021 stiegen die Zahlen noch einmal um acht Prozent. Es sind also deutlich mehr Camper unterwegs als vor der Corona-Pandemie. Dadurch wird es immer schwieriger, einen Stellplatz zu finden. Spontane Übernachtungsmöglichkeiten sind vor allem in den Schulferien rar gesät. Statt auf gut Glück loszufahren, solltest du deine Tour sorgfältig planen und rechtzeitig auf deinem Lieblingsplatz reservieren.

Eine echte Hilfe bei der Reiseplanung ist PiNCAMP, das Camping-Portal des ADAC. Hier finden Camper verlässliche Informationen zu über 10.000 Campingplätzen in ganz Europa. Viele davon können direkt über PiNCAMP gebucht werden. Bei PiNCAMP erhältst du einen perfekten Überblick, welche Campinglätze in deiner Wunschregion noch frei sind. Also: Schau mal rein unter **www.pincamp.de**!

BUCHTIPPS

Camping für Unerschrockene
Übernachten am Atommeiler und andere Heilmittel gegen Fernweh
ISBN: 978-3846408698

Yes we camp!
Camping mit Hund:
Die hunde-freundlichsten Campingplätze
ISBN: 978-3956899386

Yes we camp!
Camping an Seen und Flüssen
Traumhafte Campingplätze am Wasser in Deutschland
ISBN: 978-3956899362

TIPP:
ADAC CAMPING- UND STELLPLATZ-APP

Unterwegs kein Netz? Kein Problem: Hol dir den ADAC Campingführer, den ADAC Stellplatzführer oder die ADAC Camping- und Stellplatz-App.

Clever campen mit dem ADAC

Der ADAC ist dein starker Partner für den Campingurlaub. Erfahre, was Europas größter Automobilclub Campern zu bieten hat.

Vermietung: Mit dem ADAC kannst du deinen Traum vom Campingurlaub verwirklichen. Gönn dir ein neuwertiges Fahrzeug und wähle aus über 2.000 Wohnmobilen an über 80 Verleih-Stationen deinen Favoriten aus. Die ADAC Wohnmobilvermietung vermittelt Fahrzeuge von lizensierten und erfahrenen Profis und Fachhändlern. Die Auswahl reicht von stylishen Vans über schicke Teilintegrierte bis hin zu geräumigen, familienfreundlichen Alkoven.

Die Fahrzeuge stammen ausschließlich von führenden Reisemobil-Herstellern: Die ADAC Wohnmobilvermietung setzt unter anderem auf bekannte Marken wie Knaus, Bürstner, Hobby und Hymer. Darüber hinaus kannst du aus über 300 ADAC Wohnwagen auswählen. Gut zu wissen: ADAC Mitglieder erhalten exklusive Preisvorteile und wertvolle Zusatzleistungen – zum Beispiel 3 % Rabatt auf den Tagesmietpreis. Weitere Infos unter
autovermietung.adac.de/wohnmobile

Der ADAC ist für dich da. Als einer von 2,7 Millionen Campern unter den ADAC Mitgliedern kannst du dich über folgende Leistungen freuen:

1. ADAC Spritpreise App: So tankst du immer besonders günstig!

2. ADAC Medical App: Telemedizinische Hilfe im Ausland durch deutschsprachige Ärzte des ADAC Partners Medgate (für ADAC Premium-Mitglieder sowie Inhaber einer ADAC Auslandskrankenversicherung)

3. Die ADAC Trips-App: Dein smarter Begleiter für Freizeit und Urlaub – mit vielen Inspirationen für deine nächste Reise.

4. ADAC Maps: Online und als App bieten die ADAC Maps ein einzigartiges Routing für Gespanne und Wohnmobile bis 3,5 Tonnen. Nutze ADAC Maps, um deine Fahrtkosten zu berechnen, mautfreie Strecken zu finden und auf Wunsch Tunnel zu vermeiden.

5. Online Portal: Hier findest du alles Wichtige für deine Reise – Länderporträts, Mautinformationen sowie Tipps für deine Sicherheit und deine Reiseapotheke.

6. ADAC Tests: Der ADAC testet regelmäßig Camping-Fahrzeuge und Zubehör. Außerdem kannst du an einem Fahrsicherheitstraining für Camper teilnehmen und dein Gespann wiegen lassen.
Sichere und stressfreie Fahrt in den Urlaub!

ADAC WOHNMOBIL-/ WOHNWAGEN-TRAINING

Weil dein Wohnmobil bzw. Pkw mit Anhänger ganz anders reagiert als ein normaler Pkw!

Nutze die Chance, dich optimal auf die Fahrt in den Urlaub vorzubereiten. Denn: Das Fahren mit Wohnwagen oder einem Wohnmobil hat schon allein durch die Dimension der Fahrzeuge seine speziellen Tücken und stellt auch routinierte Fahrer vor neue Herausforderungen, weil sich Fahrverhalten und Fahrphysik deutlich verändern – ob beim Rangieren, beim Bremsverhalten oder im Kurvenfahren. Übe in sicherer Umgebung und unter Anleitung erfahrener Trainer den richtigen Umgang mit diesen speziellen Fahrzeugen wie z. B. richtiges Bremsen, gekonntes Ausweichen und frühzeitiges Erkennen von Gefahren, um in kritischen Fahrsituationen richtig zu reagieren. Du erhältst wertvolle Tipps für die richtige Beladung und wie du entspannt und souverän dein Gespann bzw. dein Wohnmobil rangierst. Die optimale Vorbereitung auf eine sichere und stressfreie Fahrt in den Urlaub!

https://www.adac.de/services/fahrsicherheitstrainings

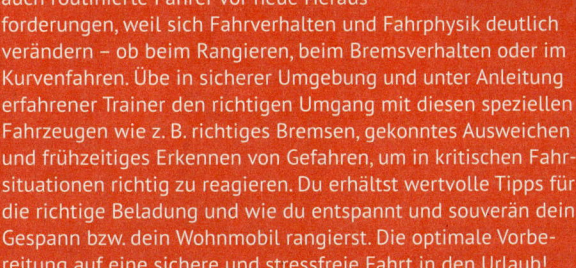

TINY STOVE

Der kleinste Holzofen der Welt bringt wohlige Wärme und romantisches Knistern in dein Wohnmobil. Hergestellt werden die rustikalen Miniöfen von Hand: Die Ofenmanufaktur der Tiny Stoves befindet sich in der Schweiz. Das Modell Classic kannst du für 799 Euro online bestellen. Schau mal bei www.tiny-stove.com vorbei und hol dir den Zauber eines echten Kaminfeuers in deinen Camper!

> Praktische Gadgets, nützliche Apps: Wir stellen dir die besten Neuheiten für Camper vor.

NEUES AUS DER CAMPING WELT

ADAC MEDICAL APP
DER ARZT FÜR DIE
HOSENTASCHE

Wenn die Gesundheit nicht mitspielt, ist der Urlaub schnell ruiniert. Die neue ADAC Medical App bietet Sicherheit und Orientierung im Krankheitsfall. ADAC Premium-Mitglieder sowie Inhaber einer ADAC Auslandskranken-Versicherung* erhalten Zugang zu telemedizinischer Beratung durch deutschsprachige Ärzte des ADAC Partners Medgate. Es handelt sich bei diesem Angebot um eine medizinische Ersteinschätzung per (Video-) Telefonie. Diese wertvolle Hilfe wird weltweit im Ausland angeboten, rund um die Uhr, 365 Tage im Jahr. Mehr Informationen auf adac.de/meinmedical oder die ADAC Medical App gleich kostenlos downloaden.

*Die ADAC Premium-Mitgliedschaft bzw. die ADAC Auslandskranken-Versicherung müssen bereits vor der Abreise ins Ausland abgeschlossen worden sein.

Yes we camp!
Zur richtigen Zeit am perfekten Ort
ISBN: 978-3956899522

YES WE CAMP!
ZUR RICHTIGEN ZEIT
AM PERFEKTEN ORT

Camping im März, Juli oder doch lieber Oktober? Ob Naturcamping in einer wildromantischen Umgebung, Camping mit dem Hund, Familiencamping, Camping am Meer oder doch Genuss-Camping – hier findet sich inspirativ eigentlich alles, was das Camperherz begehrt, übersichtlich nach den Jahreszeiten eingeordnet. Für alle, die sich nicht entscheiden können oder spielerisch auf Entdeckungsreise gehen wollen, liegt eine herausnehmbare Drehscheibe dabei.

Bilder: ADAC, PiNCAMP, Shutterstock

Das Camping Village Ca'Pasquali ist ein ADAC Superplatz und lädt Camper zu entspannten Stunden unter schattigen Bäumen ein.

Mehr als Camping –
wie aus einer Vision Wirklichkeit wurde

Mit einer Idee fing alles an – heute betreibt die Familie Granzotto drei wunderschöne Campingplätze in traumhafter Landschaft entlang der Adriaküste. Das Urlaubsangebot ist besonders bei Familien mit Kindern beliebt.

Was macht einen Visionär aus? Er folgt seinem inneren Kompass und vertraut seinen inneren Bildern. Visionäre sind Gestalter der Zukunft. Sie bringen neue Ideen in die Welt und setzen diese um – Amedeo Granzotto war ein solcher Visionär. Er träumte davon, den Menschen ein unvergessliches Urlaubserlebnis zu bieten, und zwar mitten in der wunderschönen Landschaft entlang der Adriaküste, ganz im Einklang mit der Natur.

Raus aus dem hektischen Alltag und rein in die pure Erholung, die der Mensch so nur in der Natur findet – mit dieser Vorstellung war Amedeo Granzotto seiner Zeit voraus. Die venezianische Lagunenküste mit ihren zahlreichen gold-gelben Sandstränden und den dichten Pinienwäldern bot das perfekte Setting für seine Vision von einem „neuen" Tourismus. Ende der 1950er-Jahre legte der Unternehmer den Grundstein und gründete gemeinsam mit seinen Söhnen Gianni und Paolo den touristischen Familienbetrieb. Heute, gut 70 Jahre später, ist das Unternehmen noch immer in Familienhand, inzwischen in der dritten Generation. Die Enkelsöhne Alberto, Andrea und Massimo Granzotto leiten insgesamt drei Campingplätze, einen in Bibione und zwei in Cavallino-Treporti. Die beiden

Ortschaften liegen in einer einzigartigen natürlichen Umgebung zwischen Meer und Lagune, die leicht mit dem Fahrrad oder zu Fuß erreichbar sind. Die wunderschönen Landschaften und Farben der Region sind eine Wohltat für Körper und Seele.

Im Jahr 1960 eröffnete die Familie den ersten Campingplatz: Das Villaggio Turistico Internazionale im Badeort Bibione ist heute ein 5-Sterne-Feriendorf und ein ADAC Superplatz. Die 20 Hektar große Ferienanlage bietet insgesamt 280 Standplätze sowie 486 Mietunterkünfte. Villen, Suites, Mobile Homes – für jeden Geschmack und Geldbeutel ist etwas dabei. Ein Wasserpark, breiter, feiner Sandstrand, ein großes Gastronomieangebot in den hauseigenen Restaurants, ein rundum internationales Flair mitten in der Natur – ein Paradies für Urlauber im Norden Italiens. ▶

Das Vela Blu Camping Village begeistert mit seiner direkten Strandlage große und kleine Camper.

Mitte der 1990er-Jahre kamen zwei weitere Campingplätze dazu: das Vela Blu Camping Village und das Camping Village Ca' Pasquali (ADAC Superplatz), beide in der Gemeinde Cavallino-Treporti gelegen. Tagesausflüge in die einzigartige Weltstadt Venedig bieten sich an – die Lagunenstadt erreicht man sehr einfach über die 7 km entfernte Bootsanlegestelle in Punta Sabbioni. Von dort aus fahren täglich Schiffe nach Venedig und die daneben liegenden Inseln Burano, Torcello und Murano, die berühmte Insel der Glasbläser.

Das kleine, feine Vela Blu Camping Village mit 62 Standplätzen und 172 Mietunterkünften ist ein 4,5-Sterne-Platz in direkter Strandlage – der ideale Ort für einen Familienurlaub an der Adria. Das Angebot ist auf Kinder zugeschnitten, sodass die Eltern tagsüber entspannte Stunden am Strand genießen können, während der Nachwuchs im „Miniclub" betreut und kreativ bespaßt wird.

Nur zwei Kilometer entfernt befindet sich das Camping Village Ca' Pasquali, ein komfortabler Platz mit insgesamt 222 Stellplätzen, davon viele in privilegierter Strandlage, sowie 343 Mietunterkünften. Das Herzstück: eine großzügige Wassererlebniswelt mit Pools und Wasserrutsche. Der Platz ist kindgerecht und sicher, sodass alle Familienmitglieder vom ersten Tag an ihren Urlaub rundum genießen können.

CAVALLINO-TREPORTI

Auf 15 Kilometern Länge erstreckt sich der Küstenstreifen Cavallino-Treporti zwischen Venedig und Jesolo. Urlauber finden hier goldfarbene Strände, sanfte Dünen, schattige Pinienwälder und blühende Gärten. Die faszinierende Lagunenlandschaft lädt zum Radfahren, Wandern, Planschen und Relaxen ein.

VILLAGGIO TURISTICO INTERNAZIONALE
Via delle Colonie 2, 30028 Bibione, Venetien, Italien
pincamp.de/VE4050
Internet: www.vti.it/de/
E-Mail: info@vti.it
Telefon: +390431442611
GPS-Koordinaten: Breitengrad 45° 38' 5" N (45.63498333),
Längengrad 13° 2' 14" E (13.03738333)

VELA BLU CAMPING VILLAGE
Radaelli, 10, 30013 Cavallino-Treporti, Venetien, Italien
pincamp.de/VE5050
Internet: www.velablu.it/de
E-Mail: info@velablu.it
Telefon: +39041968068
GPS-Koordinaten: Breitengrad 45° 27' 28" N (45.4579),
Längengrad 12° 30' 24" E (12.5067)

CAMPING VILLAGE CA' PASQUALI
Via A. Poerio, 33, 30013 Cavallino-Treporti, Venetien, Italien
pincamp.de/VE5300
Internet: www.capasquali.it/de
E-Mail: info@capasquali.it
Telefon: +39041966110
GPS-Koordinaten: Breitengrad 45° 27' 9" N (45.45265)
Längengrad 12° 29' 24" E (12.49005)

Im Villaggio Turistico Internazionale hat sich seit der Gründung viel getan: Inzwischen gibt es sogar luxuriöse Suiten.

CAMPING FÜR ALLE

Ob Camping-Neuling oder erfahrener Vanlife-Profi: Wir haben die besten Tipps gesammelt, damit dein nächster Trip noch schöner wird.

BACKEN UNTER FREIEM HIMMEL

Morgens aus dem Zelt krabbeln, den Duft warmer Brötchen in der Nase? Abends Lasagne unterm Sternenhimmel futtern? Alles geht, alles drin mit dem OMNIA Campingbackofen und den Rezepten von „Backofen to go"! Was Backöfen drinnen können, zaubern sie auch draußen unter freiem Himmel: Brot, Brötchen, Kuchen, Aufläufe und Überbackenes, unkompliziert, mit wenigen Zutaten, von süß bis herzhaft. Obendrauf viele Tipps rund um den kultigen Campingbackofen – da kommt auf kleiner Flamme groß raus, was bei Wind und Wetter wärmt!
GU, Backofen to go
ISBN: 978-3833884450

CAMPING MIT HUND

Du möchtest deinen Hund mitnehmen? Dann solltest du folgende Must-haves unbedingt einpacken:

- ◯ Trinkflasche und Wasserschalen
- ◯ Futternäpfe
- ◯ Hundekotbeutel
- ◯ Schleppleine – auf Campingplätzen und an Stränden besteht oft Leinenzwang
- ◯ Spielzeug
- ◯ Decke
- ◯ Tragerucksack für kleinere Hunde
- ◯ Fahrradkorb oder -anhänger
- ◯ Flohschutz, Wurmmittel und andere Medikamente, je nach Urlaubsort
- ◯ Impfpass: In viele Länder dürfen Hunde nur einreisen, wenn bestimmte Impfnachweise vorliegen.
- ◯ Maulkorb: Nicht nur gefährliche Hunde müssen einen Maulkorb tragen. Auf Fähren oder in vielen Geschäften gilt für alle Vierbeiner Maulkorbzwang.

CAMPING FÜR DIE OHREN

In ihrem Podcast „Campermen" erzählen Henning Pommée und Gerd Blank von spannenden Erlebnissen auf besonders schönen Plätzen und von Begegnungen mit interessanten Menschen. Die beiden sind das ganze Jahr über mit Bulli und Wohnmobil unterwegs und kennen die besten Gadgets und geniale Lifehacks für Camper. Wöchentlich gibt's neue Folgen, die du bei Spotify und Apple Podcasts streamen kannst.

Bilder: Shutterstock, GU, PR, PINCAMP/ADAC

> Bereit für die nächste große Reise? Mit einer guten Vorbereitung können Camper ganz entspannt in den Urlaub starten. Unsere Checklisten helfen dir dabei, den Überblick zu behalten.

DOKUMENTE

- ○ Ausweisdokumente beantragen: Personalausweis oder Reisepass und ggf. Kinderreisepass
- ○ Internationaler Führerschein
- ○ Sicherheitskopien wichtiger Dokumente
- ○ Visa (je nach Reiseziel)
- ○ Gültige Fahrzeugpapiere, Servicekarte und -heft sowie Werkstattverzeichnis
- ○ Mitgliedsausweise und Ermäßigungs-karten (ADAC) beantragen
- ○ Fährtickets frühzeitig buchen; Reservierungsbestätigung ausdrucken!

ALLGEMEINE VORBEREITUNG

- ○ Zeit nehmen für die Routenplanung
- ○ Hilfsmittel für die Planung recherchieren (Straßenkarten/Navigationsgerät)
- ○ Mautkarten und Vignetten frühzeitig kaufen/beantragen
- ○ Den aktuellen ADAC Camping- und Stellplatzführer besorgen

VERSICHERUNGEN

- ○ Bestätigungen für Schutzbriefe, Reiseversicherung, Auslandskrankenversicherung, ggf. Reiserücktrittsversicherung und Verkehrsrechtsschutz
- ○ Nachweis für die Fahrzeugversicherung („Grüne Versicherungskarte")

MEDIZINISCHES

- ○ Benötigte Medikamente (z. B. Allergiemedikamente, Insulin) in ausreichender Menge
- ○ Allgemeine Reiseapotheke: Verbandmaterial, Wunddesinfektion, Schmerz- und Fiebermittel, Fieberthermometer, evtl. Medikamente gegen Übelkeit, Durchfall, Erkältung
- ○ Impfungen auffrischen (Impfhinweise für das Zielland beachten); Impfausweise einstecken
- ○ Insekten- und Sonnenschutz (in Urlaubsorten oft überteuert)

So schön und vielfältig ist Campingurlaub in Kroatien

Ob Mini-Camps, Mobilheime oder Glamping: Kroatien ist ein wahres Camper-Paradies.

Grillen am Lagerfeuer, Schlafen unter freiem Himmel und dabei das Gefühl von Unabhängigkeit – diese abenteuerliche Vorstellung von Camping sitzt seit Kindertagen in den Köpfen vieler Kroatien-Urlauber. An den Küsten und im Landesinneren bietet Kroatien mehr als 526 Standorte zum Campen. Ob Stellplatz, Mini-Camps oder luxuriöses Glamping – jeder findet dort seinen Lieblingsplatz. Das vielseitige Land an der Adria begeistert mit spektakulären Nationalparks, tausenden Kilometern Küste sowie unzähligen Inseln und Stränden. Wer dann nicht nur in der traumhaften Natur nächtigen, sondern sich dort auch sportlich betätigen möchte, der kann aus den zahlreichen aktiven Freizeitmöglichkeiten Kroatiens wählen: Wandern, Radfahren, Rafting, Stand-up-Paddling, Segeln oder einfach nur eine Runde im kristallklaren Wasser drehen.

KROATIENS MINI-CAMPINGPLÄTZE: KLEIN, FAMILIÄR UND PERSÖNLICH

Nah an der Natur und auch an den lokalen Gastgebern sind die Mini-Campingplätze eine ganz besondere Art der Unterkunft. Mit einer Kapazität von bis zu 30 Unterkunftseinheiten oder für höchstens 100 Personen sind die Mini-Campingplätze perfekt für Naturliebhaber und Familienmenschen geeignet. Hier parkt man seinen Camper am Meer, im Schatten der Kiefernwälder oder auf dem Hof einer Familie, von denen man herzlich empfangen wird und den einen oder anderen Insider-Ausflugstipp erfährt. Nicht nur an der Küste, sondern auch im Landesinneren findet man viele von diesen Unterkünften an Flüssen und Seen, unweit von größeren Tourismuszielen. Sie eignen sich hervorragend, um das Binnenland zu entdecken und anschließend seine Reise nach Dalmatien fortzusetzen. Dort angekommen findet man in der Region zwischen Zadar und Dubrovnik und auf den einzelnen Inseln viele solcher kleinen Campingplätze.

GLAMPING IN KROATIEN

Auch ohne Camper-Van und die nötige Ausrüstung lässt sich ein Campingurlaub in Kroatien gestalten – und das sogar ziemlich luxuriös. Entscheidet man sich für ein Mobilheim, trennt einen oft nur der Strand oder ein kleiner Garten vom Meer. Ebenso gibt es Bungalows aus Holz oder Stein, die dem ökologischen Bewusstsein der Kroaten entsprechen. Ob Mobilheim oder Glamping – der luxuriösen Campingvariante in Safarizelten – müssen sich Urlauber um nichts mehr kümmern, denn die Zelte sind perfekt ausgestattet und verfügen sogar größtenteils über eigene Sanitäranlagen und eine eigene überdachte Terrasse. Neben den Schlafmöglichkeiten bieten diese Unterkünfte oftmals auch ein großes Angebot an Aktivitäten mit Animationsprogramm, Wellnessangeboten sowie Einkaufsmöglichkeiten und Restaurants.
https://croatia.hr/de-DE/erlebnisse/camping

Gemeinsam Naturwunder entdecken: Im Ardèche-Tal ist das möglich.

Frankreichs wilde Seele

Hast du schon mal Campcooning ausprobiert? Im Ardèche-Tal, dem „französischen Grand Canyon", hast du die Gelegenheit dazu.

Die Ardèche ist nicht nur ein Juwel in ursprünglicher Natur, sondern besitzt auch ein unschätzbares historisches Erbe. Das Departement im Südosten Frankreichs, in der Region Auvergne-Rhône-Alpes, beschenkt seine Besucher mit einem entspannten Wohlgefühl und unzähligen Sonnenstunden. Wunderschöne Landschaften, Höhlen, architektonische Sehenswürdigkeiten und sportliche Aktivitäten in Hülle und Fülle sind nur einige der Highlights, die Camper in ihren Bann ziehen.

Egal ob du mit dem Zelt, Wohnwagen oder Wohnmobil auf einem großzügigen Stellplatz im Schatten woh-

nen möchtest, den Komfort eines komplett ausgestatteten Mobilheims bevorzugst oder die Vorzüge eines Campcoonings erfahren möchtest ... Im Campingplatz Naturpark l'Ardéchois bist du in jedem Fall goldrichtig.

Der Leading Camping Naturpark l'Ardéchois wurde im Jahr 1984 von Vater und Sohn, Maurice und Richard Chalvet, gegründet. Richard hörte seitdem nie auf, seine ganze Energie und Leidenschaft in den Campingplatz zu investieren, der dadurch ein unvergleichliches Ziel in der Ardèche geworden ist. Camper finden hier eine Ruheoase, wo sie sowohl Erholung als auch Aktivitäten mit der Familie genießen können.

Bilder: Camping NP l Ardéchois

CAMPING NATURE PARC L'ARDÉCHOIS

934, Route des Gorges, 07150 Vallon-Pont-d'Arc,
Auvergne-Rhône-Alpes, Frankreich
Internet: ardechois-camping.com/de
E-Mail: info@ardechois-camping.com
Telefon: +33475880663
GPS-Koordinaten: 44° 53' N, 4° 23' 55" E
pincamp.de/RA8240

Gäste mit einem Wohnmobil dürfen sich über Premium XXL-Stellplätze freuen, die ausreichend Platz für große Fahrzeuge bieten sowie leicht und ebenerdig erreichbar sind. Für die Pflege ist eine Servicesäule eingerichtet und die Sanitäranlagen sind für die Entleerung der chemischen Toilette ausgestattet. Oder möchtest du lieber einmal „Campcooning" ausprobieren? Ähnlich wie der bekannte Begriff „Glamping" (glamour + camping) beschreibt der Ausdruck „Campcooning" (camping + cocooning) eine besondere Art des Zeltens – mit jeder Menge Komfort in einer gemütlichen, schicken Atmosphäre. Apropos gemütlich und schick: Der Wellnessbereich des Campingplatzes Naturpark l'Ardéchois verfügt über Hammam, Sauna, Spa, Eisbrunnen und Erlebnisdusche. In behaglichem Ambiente und umgeben von milden Holzdüften genießen Körper und Seele eine wundervolle Auszeit.

Gut zu wissen: Der Campingplatz Naturpark l'Ardéchois ist Mitglied von Leading Campings – einem Zusammenschluss von rund 40 Campingplätzen aus ganz Europa mit ausgezeichnetem Ruf. Dieser erlesene Kreis an Campingplätzen basiert auf strengsten

Qualitäts- und Auswahlkriterien und macht damit diese Einrichtung zu einem der besten Campingplätze in Europa.

Und was kannst du in der Region erleben? Wenn es eine Aktivität gibt, auf die Besucher nicht verzichten sollten, dann ist es eine Flussfahrt stromabwärts auf der Ardèche mit dem Kanu oder Kajak. Egal ob mit Familie oder Freunden: Vom Wasser aus lässt sich die Schönheit der wilden Natur auf ganz besondere Weise erleben. Durch die privilegierte Lage, direkt am Ufer des Flusses, genießen die Gäste des Campingplatzes Naturpark l'Ardéchois einen direkten Zugang zum frischen, klaren Wasser. Der ruhige Flusslauf ist ideal für Kinder. Zudem können Anhänger des Flussangelns ihre Leidenschaft direkt am Ufer ausleben.

Das malerische Fürstenberg/Havel ist mit seinem herzoglichen Schloss ebenfalls einen Ausflug wert.

WILD CAMPEN, ABER LEGAL

„Du brauchst nicht viel im Leben; je weniger du hast, desto glücklicher bist du", sagt Martin Richter-Sinnig, der Betreiber des Campingplatzes Wilde Heimat. Und er sagt auch: „Wir können nicht mit 5 Sternen vom ADAC dienen, dafür aber mit unendlich vielen Sternen am Nachthimmel, viel Natur und einem Feeling von Freiheit." Eben wie wild campen, nur legal.

Unterwegs im wilden Brandenburg

Der Hegensteinbach ist ein Kleinod im brandenburgischen Naturschutzgebiet Thymen. Vom Campingplatz Wilde Heimat aus kannst du ihn bei einer entspannten Rundwanderung erkunden.

BUCHTIPP

Yes we camp!
Secret Campsites: Kleine, charmante Campingplätze im Grünen
ISBN: 978-3956899591

Die Tour startet am Weidendamm in Fürstenberg, dabei auf die Ausschilderung Richtung Draisinenstation achten. Der Endpunkt der Tour ist wieder der Weidendamm. Der Campingplatz Wilde Heimat ist umgeben von eindrucksvoller Natur; die Gegend ist gesegnet mit Wald, Wiesen und Wasser. Eine schöne Tour führt um den Hegensteinbach herum, zugleich ist sie eine gute Möglichkeit, dich mit der Umge-

bung vertraut zu machen. Startpunkt ist das nur wenige Gehminuten entfernte Fürstenberg. Die Tour beginnt dort am Weidendamm, dem du bis zum denkmalgeschützten Gutshof folgst. Der Weg führt in einem leichten Bogen vorbei an Pferdekoppeln, es geht zunächst durch Wald und Wiesen bis zur ersten Brücke des Hegensteinbachs. Von dort führt der Weg weiter und nah am Bach entlang

Bilder: Shutterstock, PiNCAMP/ADAC

durch das Naturschutzgebiet Thymen. Du folgst der Strecke so lange, bis der Bach schließlich in den Schwedtsee mündet; wenn du dann wieder eine Brücke überquerst, ist die Wanderung fast beendet. Mit etwas Glück bist du auf dem Weg einem Eisvogel begegnet, aber auch Graureiher und Seeadler leben in den angrenzenden Moor- und Seenlandschaften. Die Tour bietet übrigens eine wunderbare Gelegenheit, der Draisinestation einen Besuch abzustatten.

Campingplatz Wilde Heimat
ganzjährig geöffnet
Zehdenicker Str. 34 d, 16798 Fürstenberg
Telefon: +49 (0) 173 43 20 917
GPS-Koordinaten:
64° 53' 21.4'' N 23° 41' 16.0'' W
pincamp.de/LG 3100

Sonnenuntergangs-Stimmung an der Havel: Romantischer kann ein Camping-Urlaub kaum sein.

Die Welt steht Kopf

Im Nationalpark Eifel, am idyllischen Rursee, kannst du deinen Campingurlaub zum Yogaurlaub machen. Wie wäre es mit einem Kopfstand, direkt auf dem See?

Yoga meets Camping:
Eine tolle Kombination für
alle, die die Natur lieben.

AUF INS ABENTEUER

Du möchtest deinen Campingurlaub in Deutschland mit Outdoor-Aktivitäten wie Wandern, Radeln oder Kajakfahren verbinden? Auf *www.greenadventures.de* findest du jede Menge Ideen für kleine und große Abenteuer vor der Haustür – bzw. vor der Wohnmobiltür.

BUCHTIPP

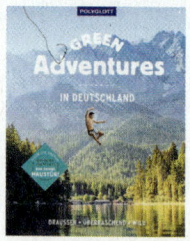

Polyglott
Green Adventures
in Deutschland
draußen •
überraschend • wild
ISBN: 978-3846408537

Ein besonderes Erlebnis ist Morgenyoga in der landschaftlich wunderschönen Kulisse des Rursees. Im Licht der ersten Sonnenstrahlen schaltest du beim Yoga an der frischen Luft ab und bringst Körper und Geist in Einklang. Anfänger und Fortgeschrittene sind gleichermaßen willkommen und starten sanft in der morgendlichen Gruppe in den Tag.

Wer am Wochenende gerne etwas länger schläft oder direkt eine zweite Runde Yoga einlegen möchte, findet beim SUP-Yoga, also Yoga auf dem Stand-up-Paddle, eine willkommene Abwechslung.

Durch das Balancieren auf dem Board während der Übungen wird besonders die Tiefenmuskulatur gefordert. Die Kombination aus Kraftanstrengung und Entspannung auf dem Wasser ist für Anfänger und Fortgeschrittene – mit oder ohne eigenes SUP – geeignet. Nur Schwimmen solltest du können. Die morgendliche Yogastunde auf dem Campingplatz am Rursee findet ganzjährig statt.

Camping Rursee,
Seerandweg 26, 52152 Simmerath
Telefon: +49 2473 2365
GPS-Koordinaten: 50.617742, 6.376343
pincamp.de/RW7485

Auf Safari in Limburg

„Big Five" gibt's nicht nur in Afrika! Die niederländische Provinz Limburg hat ebenfalls jede Menge Highlights für Naturliebhaber zu bieten.

In Nord- und Mittellimburg finden Urlauber viele überraschende Perlen und schöne Naturschutzgebiete. Die ultimativen Highlights, die Besucher unbedingt gesehen haben müssen, sind die „Big Five" von Limburg. Diese Liste besteht, wie der Name schon sagt, aus den fünf wichtigsten Naturschutzgebieten.

1. GRENZPARK KEMPEN ~ BROEK

An der Grenze zu Belgien befindet sich ein traumhaftes Naturschutzgebiet, dessen Landschaft sowohl in Flandern als auch in den Niederlanden einzigartig ist. Wanderer, Radfahrer und Reiter können das Gebiet auf markierten Routen in ihrem eigenen Tempo erkunden.

2. RIVIERPARK MAASVALLEI

Dieses idyllische Naturschutzgebiet erstreckt sich entlang der Maas. Ein ausgedehntes Netz aus Flussarmen, Ufern und Erholungsgebieten lädt zu Erkundungstouren ein. Sehenswert sind auch die monumentalen historischen Orte wie Thorn und Stevensweert.

3. DE MEINWEG

Der Nationalpark De Meinweg ist nur einen Katzensprung von der deutsch-niederländischen Grenze entfernt. Wälder, Wiesen, Moore und Flusstäler formen eine einmalige Landschaft, in der seltene Tiere wie die Kreuzotter zu Hause sind.

4. DE GROOTE PEEL

Vogelfreunde sollten sich den kleinsten Nationalpark der Niederlande nicht entgehen lassen. Hier können während der Brutzeit über neunzig verschiedene Arten beobachtet werden. Der Aussichtssteg und der Aussichtsturm bieten einen tollen Blick über das Gelände.

5. HET LEUDAL

Zwischen den Dörfern Haelen, Roggel, Neer, Nunhem und Heythuysen liegt das Naturschutzgebiet Het Leudal. Hier gibt es nicht nur eine pittoreske Wassermühle, die Sint Ursula Mühle, zu sehen, sondern auch natürliche Bachtäler von malerischer Schönheit.

DIE MAASPLASSEN: EIN PARADIES FÜR WASSERSPORTLER

Mit einer Fläche von über 3.000 Hektar sind die Maasplassen das größte zusammenhängende Wassersportgebiet der Niederlande. Hier können Urlauber schwimmen, surfen, segeln, tauchen, rudern sowie Kanu und Kajak fahren. Auch Wasserski oder Wakeboarding werden angeboten. Gut zu wissen: Die Maasplassen sind ideal, um sie mit einem Segelboot, einer Jacht oder einer Schaluppe zu erkunden. Für die meisten Boote ist nicht einmal ein Segelschein erforderlich.

Bilder: PR

KLEINE
CAMPER-TYPOLOGIE

Egal ob in Südtirol oder in Schleswig-Holstein: Diese Camper-Originale triffst du garantiert auf jedem Campingplatz. Vielleicht erkennst du dich ja sogar selbst in der einen oder anderen Beschreibung ein wenig wieder ...

1.

DER BLAUÄUGIGE NEULING

Der Campingkocher ist noch originalverpackt, ebenso die Campinglampe und anderes teures Zubehör. Der Neuling hat wirklich an alles gedacht, damit bei seinem ersten Campingurlaub wirklich nichts schiefgeht. Glaubt er zumindest. Bis er feststellt, dass er kein scharfes Messer eingepackt hat. Auch das Mückenspray fehlt. Und die Yogamatte ist als Matratzenersatz weit weniger bequem als gedacht. Macht nix, jeder fängt mal klein an. Wenigstens kommt er so mit seinen Nachbarn ins Gespräch – und leiht sich Messer, Mückenspray und mehr.

2.

DER ERFAHRENE DAUERCAMPER

Er war schon da, als Camping noch als spießig galt. Und er wird noch da sein, wenn die Instagram-Mädels und Hipster-Jungs einen neuen Urlaubs-Trend entdeckt haben. Der Dauercamper ist der ungekrönte König des Campingplatzes: Er kennt die Namen aller Mitarbeiter und Stellplatznachbarn – und hilft gerne aus, wenn Not am Mann ist. Die Wasserleitung im Campingbus leckt? Der Hering lässt sich nicht in den Boden rammen? Kein Problem: Damals, 1982 in Jesolo, da hatte er dieses Problem auch. Seither kennt er diesen ganz besonderen Camping-Trick ...

3.

DIE KUNTERBUNTE CAMPER-FAMILIE

Sie haben mindestens so viele aufblasbare Schwimmtiere wie Kinder dabei.

DER ABENTEUERLUSTIGE HIPPIE

Sein Zelt hat schon bessere Tage gesehen, doch das ist dem Hippie egal. Am liebsten würde er ja sowieso wildcampen, wenn es nur nicht fast überall verboten wäre. Sein wichtigstes Accessoire ist seine Gitarre, die er auspackt, sobald irgendwo ein Lagerfeuer entzündet wird. Dann stimmt er „Lady in Black" an, während sein Stockbrot über den Flammen langsam schwarz wird. Würstchen? Ne du, ich bin seit über 20 Jahren Vegetarier und seit Kurzem sogar Veganer ...

BUCHTIPPS

Für ALLE Camper unersetzlich:
Der ADAC Campingführer mit
Planungskarten

2022 Campingführer
Deutschland und
Nordeuropa
ISBN: 978-3956899409

2022 Campingführer
Südeuropa
ISBN: 978-3956899416

...Vollprofis auf dem Platz, nichts kann insbesondere die bestens organisierte Mutter erschüttern. Sonnenbrand? Hier ist das Kühlgel. Hunger? Hier hast du einen Reiscracker. Während Mama den nächsten Tag plant, toben die Kids auf dem Spielplatz – und der Papa köpft heimlich das dritte Bierchen in seiner Hängematte.

DER INTERNETAFFINE INSTA-CAMPER

Die wichtigste Frage, gleich nach dem Einchecken auf dem Campingplatz: Es gibt hier doch WLAN, oder? Denn ohne Internet hält es der Insta-Camper keine zwei Wochen aus. Auch keine zwei Tage oder zwei Stunden. Wie soll er seinen Urlaub genießen, wenn es für die idyllische Umgebung und seine köstlichen Camping-Gerichte keine Likes von seinen Followern gibt? Und die neue stylishe Lichterkette am Bully will schließlich auch in Szene gesetzt werden.

DER ANSPRUCHSVOLLE GLAMPER

Sein Wohnmobil ist das größte und neueste auf dem gesamten Areal. Das Luxus-Gefährt ist geräumiger als so manche Studentenwohnung in der Münchner Innenstadt, sogar sein Smart findet darin mühelos Platz. Natürlich macht der Glamper ausschließlich auf 5-Sterne-Campingplätzen Urlaub und hat schon die gesamte Welt bereist. Abends, am Hightech-Grill, erzählt er gerne Geschichten: vom Sonnenuntergang auf Capri und vom Rotwein in Südafrika. Warum er dennoch immer wieder nach Hause zurückkehrt? Na, weil es nur hier „echtes" Schwarzbrot gibt!

Der charmante Ort Glückstadt und Schiffegucken am Nord-Ostsee-Kanal gehört zu den Highlights dieser Tour.

Auf Achse im Norden Deutschlands

Diese Wohnmobil-Tour führt dich von Kiel nach Bremen – auf kleine Fähren und vorbei an gewaltigen Schiffen.

Mit Kiel und Bremen liegen zwei gänzlich verschiedene Großstädte am Beginn und am Ende dieser Tour. Kiel ist als wichtiger Werften- und Marinestandort maritim geprägt. Bremen, an der Weser gelegen, gelangte als Mitglied der Hanse und später durch den Überseehandel zu Wohlstand. Das mächtige Rathaus und die Handelskontore zeugen noch heute davon.

REISEROUTE

Kiel ❯❯ 53 km bis Rendsburg ❯❯ 39 km bis Albersdorf ❯❯ 21 km bis Burg (Dithmarschen) ❯❯ 17 km bis Brunsbüttel ❯❯ 24 km bis Glückstadt ❯❯ 3 km bis Elbfähre Glückstadt ❯❯ Fähre nach Wischhafen ❯❯ 54 km bis Bremervörde ❯❯ 36 km bis Worpswede ❯❯ 24 km bis Bremen

BUCHTIPP

Yes we camp!
Wohnmobil-Touren durch Norddeutschland
ISBN: 978-3956899218

Yes we camp!
Wohnmobil-Touren durch Süddeutschland
ISBN: 978-3956899553

Die erste Hälfte der Tour folgt dem Nord-Ostsee-Kanal, den du mehrfach mit Fähren überquerst. 1895 nach acht Jahren Bauzeit eingeweiht, wird er an seinem Anfang und Ende, in Kiel und in Brunsbüttel, durch mächtige Schleusen reguliert. Rund 30.000 große und kleine Schiffe befahren ihn im Jahr, womit der Kanal zu den meistbefahrenen künstlichen Wasserstraßen der Welt gehört.

Zwischen Kiel und Bremen liegt keineswegs nur plattes Land. Zunächst durchfährst du das Schleswig-Holsteinische Hügelland und dann die wellige Geest, bevor du die flache Elbmarsch erreichst. Im schleswig-holsteinischen Glückstadt rollst du auf die Elbfähre und gehst nach einer halben Stunde im niedersächsischen Wischhafen wieder an Land. Ein besonderes Erlebnis sind die historischen Fähren über die Oste.

Die Stader Geest, die sich hier zwischen Elbe und Weser erstreckt, ist geprägt durch landwirtschaftliche Nutzflächen und Moorgebiete wie das Teufelsmoor. Zwischen Bremervörde und Bremen gelegen, begann seine Besiedlung ab etwa 1750. Die durch menschliche Eingriffe geformte, karge Landschaft mit ihren Kanälen und das Leben der Bauern in den Moorkolonien faszinierte Ende des 19. Jahrhunderts Künstler wie Fritz Mackensen, Heinrich Vogeler und Otto Modersohn, die im Moordorf Worpswede eine Künstlerkolonie gründeten. Noch heute leben im Ort zahlreiche Künstler, es gibt Galerien und Museen.

PACKLISTE: GRUNDAUSSTATTUNG CAMPING

- Wasserschlauch und Adapter für Wasserhähne
- Gießkanne/Wasserkanister mit Schnüffel
- 25-Meter-Stromkabel/ Kabeltrommel
- CEE-Stecker für Fahrzeug und Anschluss
- Auffahrkeile
- Kleine Wasserwaage zur Ausrichtung
- Schmutzfangmatte für den Eingang
- Panzertape, Klebeband
- Schnur
- Klappspaten
- Chemie für die Campingtoilette
- Kleine Flasche Silberionen für den Wassertank
- Arbeitshandschuhe, Gummihandschuhe
- Taschenlampe, Stirnlampe
- Campingtisch und -stühle, Hocker
- Sonnenschirm
- Heringe, Hammer
- Abspanngurte, Leinen
- Kleiner Teppich
- Grill und Grillzange
- Bettzeug/Bettwäsche

Entspannte Stunden erleben: Campingplatz Polari ist das perfekte Familienreiseziel.

Camping an den schönsten Orten im
magischen Istrien

In Rovinj und Vrsar, direkt am Meer, liegen die Campingplätze von Maistra. Egal ob du nach einem Ort für einen perfekten Familienurlaub, nach einem Zufluchtsort in der Ruhe der Natur oder einem FKK-Paradies suchst – Maistra Camping ist die richtige Wahl.

Willkommen in Istrien! Inmitten von üppiger Natur, umgeben von kristallklarem Wasser, finden Camper ausgezeichnete Möglichkeiten für einen entspannten Urlaub. Maistra Camping ist die neue Marke des Hotelunternehmens Maistra und bietet seinen Gästen Erholung in traumhafter Lage. Alle Campingplätze befinden sich in unmittelbarer Nähe zu geschützten Naturgebieten und sind Träger der Blauen Flagge, einer internationalen Auszeichnung für Ökologie und Umweltschutz. Zudem punkten alle Campingplätze von Maistra mit zahlreichen Sport- und Unterhaltungseinrichtungen: Camper können hier tauchen, Nordic Walking und laufen gehen sowie Tennis spielen und Rad fahren. Die Gäste erwartet ein umfangreiches gastronomisches Angebot, etwa die frisch renovierte Trattoria Feral auf den Campingplatz

Polari oder die Restaurants Oleander Real Grill, Kapula Burger und Kantineta Pizza Pasta auf dem Campingplatz Valkanela.

Durch regelmäßige Sanierungsmaßnahmen stellt Maistra sicher, dass Camper stets höchsten Komfort genießen können. Zuletzt wurden beispielsweise die Sanitäranlagen auf dem Campingplatz Valkanela und die Mobilheime auf dem Campingplatz Polari erneuert. Durch kontinuierliche Investitionen verbessert Maistra fortlaufend die Qualität des Angebots. So wurden zum Beispiel vor Kurzem ein neuer Kinderspielplatz und ein Grillplatz auf dem Campingplatz Amarin errichtet. Ob Singles, Paare oder Familien: Alle fühlen sich auf den Campingplätzen von Maistra wohl. Hunde sind überall willkommen.

VEŠTAR

Ein Campingplatz von besonderem Charme, wo sich natürliche Schönheit und eine Vielzahl von Campingmöglichkeiten auf elegante und entspannte Weise verbinden. In Veštar finden Camper zweifellos die wunderschönsten Kies- und Sandstrände, und in der Bucht können sie verschiedene Wassersportarten ausüben oder sich im tiefen Schatten der Bäume entspannen.

Veštar 1
52210 Rovinj, Kroatien
Internet: www.maistracamping.com/de/campingplatz-vestar-rovinj
E-Mail: hello@maistra.hr
Telefon: +385 52 800 200
GPS-Koordinaten:
N 45 3' 14,84", E 13° 41' 11,2338"
pincamp.de/HR1200

POLARI

Der Campingplatz Polari liegt direkt neben einer Bucht mit kristallklarem Meer und weitläufigen Stränden, inmitten des Schattens eines Kiefernwaldes, und bietet alles, was Camper für einen perfekten Urlaub benötigen. Er ist nur 3,5 Kilometer vom Stadtzentrum von Rovinj entfernt, wobei die beiden Lokalitäten durch eine der schönsten Promenaden am Meer miteinander verbunden sind.

Polari 1
52210 Rovinj, Kroatien
Internet: www.maistracamping.com/de/campingplatz-polari-rovinj
E-Mail: hello@maistra.hr
Telefon: +385 52 800 200
GPS-Koordinaten:
N 45 3' 46,13", E 13 40' 29,41"
pincamp.de/HR1150

AMARIN

Wer die Freiheit des Campings bevorzugt, aber gleichzeitig alle Vorzüge eines Resorts genießen möchte, für den ist das Amarin die perfekte Wahl. Die Pools und Restaurants befinden sich direkt am Meer, sodass Camper die atemberaubende Aussicht auf das bezaubernde Rovinj und die Kirche der Hl. Euphemia genießen können.

Monsena 2
52210 Rovinj, Kroatien
Internet: www.maistracamping.com/de/campingplatz-amarin-rovinj
E-Mail: hello@maistra.hr
Telefon: +385 52 800 200
GPS-Koordinaten:
N 45 6' 31,58", E 13 37' 11,55"
pincamp.de/HR1050

VALKANELA

Jedes Jahr begeistert der Campingplatz Valkanela seine Gäste mit neuen Zusatzleistungen, die jeden Sommer anders machen und der Grund sind, warum die Gäste gerne wiederkommen. Attraktive Strände, eine Poolanlage und neue, voll ausgestattete Stellplätze sind nur ein Teil dieser großartigen Geschichte.

Valkanela 6
52450 Vrsar, Kroatien
Internet: www.maistracamping.com/de/campingplatz-valkanela-vrsar
E-Mail: hello@maistra.hr
Telefon: +385 52 800 200
GPS-Koordinaten:
N 45° 3' 46,13", E 13° 40' 29,41"
pincamp.de/HR800

PORTO SOLE

Wann auch immer Camper entscheiden, sich den wohlverdienten Urlaub zu gönnen, auf dem Campingplatz Porto Sole sind sie jederzeit herzlich willkommen. Dieser befindet sich in der Nähe von Vrsar und ist ganzjährig geöffnet. Das Familienbad und die Wellnesseinrichtungen gehören zu den Highlights auf dem Campingplatz Porto Sole.

Petalon 3
52450 Vrsar, Kroatien
Internet: www.maistracamping.com/de/campingplatz-porto-sole-vrsar
E-Mail: hello@maistra.hr
Telefon: +385 52 800 200
GPS-Koordinaten:
N 45 8' 28,11", E 13 36' 7,89"
pincamp.de/HR900

KOVERSADA

Der Koversada Naturist Park ist ein mediterranes Paradies in einer unberührten Naturlandschaft mit mildem Klima und sauberem Meer – und ein beliebtes Reiseziel für Generationen von Naturisten. Genieße hier die einzigartige Lage in der Nähe des Naturschutzgebiets Lim-Bucht, die Naturstrände sowie eine Vielzahl von Unterkünften, Restaurants und Aktivitätsmöglichkeiten.

Koversada 2,
52450 Vrsar, Kroatien
Internet: www.maistracamping.com/denaturist-park-koversada-campingplatz-vrsar
E-Mail: hello@maistra.hr
Telefon: +385 52 800 200
GPS-Koordinaten:
N 45 8' 31,13", E 13 36' 20,67"
pincamp.de/HR950

5-Sterne-Camping am Gardasee

Die ADAC Superplätze bieten ihren Besuchern das volle Programm – mit Attraktionen wie Wasserparks für die Kleinsten oder Wellness-Tempeln für die Eltern. Wir stellen dir zwei Superplätze am Gardasee näher vor.

FORNELLA CAMPING & WELLNESS RESORT

Rote Sonnenschirme sorgen für Farbtupfer auf der Restaurantterrasse mit Blick auf den See. Ansonsten ist Grün die vorherrschende Farbe auf dem Platz am ruhigeren Westufer des Gardasees. Hier werden Urlauber von der Morgensonne geweckt. Stellplätze gibt es teilweise direkt am Ufer. Wohnmobilbesitzer können einen Platz mit eigener überdachter Terrasse mieten. Daneben gibt es einige – auch barrierefreie – Mobilheime, Bungalows und Safari-Lodges als Mietunterkünfte. Komplettiert wird das Angebot mit einem modernen Wellnessbereich mit Seeblick aus der Sauna.

Via Fornella 1, 25010 San Felice del Benaco, Italien
Telefon: +39 (0)365/622 94,
GPS: 45.5849, 10.565955
pincamp.de/gs2450

LA ROCCA CAMP

Seit 60 Jahren gibt es das Camp, das mit einem direkten Zugang zum See gesegnet ist und seinen Namen La Rocca dem markanten Fels in seinem Rücken verdankt. Dazwischen breitet sich ein mediterraner Garten mit jahrhundertealten Olivenbäumen aus. Im Platzteil, der direkt am See gelegen ist, befinden sich Stellplätze ab 40 m² bis zur geräumigen Superior-Kategorie, die sogar mit Terrasse und Whirlpool angeboten wird. Im Schaukelstuhl auf der Terrasse zu sitzen, sich lesend in die Hängematte zurückzuziehen oder im privaten Jacuzzi Pläne zu schmieden, ist hier fast überall mit Blick aufs Wasser möglich.

Loc. San Pietro, 37011 Bardolino, Italien,
Telefon: +39 (0)457/21 11 11,
GPS: 45.5645, 10.712733335
pincamp.de/gs4500

BUCHTIPP

Yes we camp!
Best of Camping:
Die 133 ADAC Superplätze
ISBN: 978-3956899515

Bilder: Shutterstock, La Rocca Camping-Village, Fornella Camping, PINCAMP/ADAC

Süden in Sicht

Endlich da! Es gibt so vieles zu entdecken. Tage voller Freiheit,
neue Horizonte entdecken oder einfach nur den Moment genießen.
Auf der Südseite der Alpen. It's my life. Kärnten.

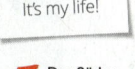

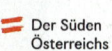

camping.at

Der Süden
Österreichs

„Es ist alles ein bisschen
entspannter draußen"

Moritz Neumeier ist Stand-up-Comedian und dreifacher Vater. Über seine Erfahrungen aus dem Campingurlaub und den ganz normalen Alltagswahnsinn mit Kindern hat er ein Buch geschrieben.

WIE VERBRINGT IHR EUREN URLAUB AM LIEBSTEN?

Ich finde Camping entspannt. Die Kinder stehen auf, man steigt aus dem Bus und das war's. Ohne Kinder könnte ich jetzt nicht behaupten, dass ich andauernd campen würde – aber ohne Kinder würde ich insgesamt wohl recht andere Urlaube machen. Urlaub verändert sich stark, wenn auf einmal Kinder mitfahren.

WARUM GERADE CAMPING?

Der größte Vorteil am Campen ist der, dass man immer sofort draußen ist. Also zwangsweise. Man beginnt somit jeden Tag an der frischen Luft. Und es bedeutet, dass jede eventuelle, schon lange festgefahrene Morgenroutine unterbrochen wird. Es ist alles ein bisschen entspannter draußen.

WIE WÄHLT IHR EURE REISEZIELE AUS?

Es ist gar nicht so einfach, gute Camping-plätze zu finden, wenn man „gut" nicht mit möglichst viel Komfort und Luxus gleich-setzt. Wenn ich zum Campen fahre, dann möchte ich das Gefühl haben, von viel Natur umgeben zu sein.

BUCHTIPP

Polyglott
Moritz Neumeier
Urlaub trotz Kindern
ISBN: 978-3846408681

Bilder: Polyglott

Die sonnige Südseite
der Alpen mit dem
Rad entdecken.

Aktiv genießen in Kärnten

Radeln, Wandern, Klettern, Paddeln und mehr:
Kärnten hat für aktive Camper viel zu bieten.

Kärnten ist nicht nur die Heimat des Großglockners, des mit 3798 Metern höchsten Bergs in Österreich. Das vielseitige Bundesland begeistert Aktiv-Urlauber unter anderem mit traumhaft schönen Genusswanderwegen, idyllischen Radwegen, warmen Badeseen und zahlreichen Klettermöglichkeiten. Rund 100 Campingplätze liegen über ganz Kärnten verstreut, beispielsweise an Flussufern, auf Bauernhöfen, am Fuße eines Berges oder direkt am Badesee. Viele Outdoor-Abenteuer beginnen direkt am Campingplatz – los geht's!

KÄRNTENS BERGWELT ERLEBEN

Auf beschilderten Touren von einfach bis anspruchsvoll können Wanderer die einmalige Natur Kärntens erkunden. Je nach Lust, Laune, Anspruch und Kondition locken familienfreundliche und sogar kinder-

Bilder: Kärnten Werbung: Heiko Mandl, Gert Perauer, Arnold Pöschl; Wolfgang Handler

Romantische Stunden vor beeindruckender Berg-See-Kulisse.

210 Kilometern lässt sich der Fluss von Lienz bis Lavamünd auf dem Draupaddelweg erkunden. Das milde Klima der Alpen-Südseite, das Plätschern der Drau und die abwechslungsreiche Uferlandschaft sorgen für unvergessliche Erlebnisse beim Kanu- fahren, Kajaken und SUPen. Wer lieber hoch hinaus möchte, findet in Kärntens Bergwelt unzählige Klettermöglichkeiten mit verschiedenen Schwierig- keitsgraden. Nach so viel Action haben sich Camper und Outdoor-Sportler eine ordentliche Stärkung verdient. Wo's die besten regionalen Köstlichkeiten gibt, steht im neuen „Slow Food Guide". Darin werden die beliebtesten Restaurants, Almhütten, Hofläden und Buschenschenken vorgestellt. Erhältlich ist der kostenlose Guide bei der Kärnten Werbung unter der Telefonnummer +43/ 463/ 3000 oder online unter *www.slowfoodguide.kaernten.at*.

wagentaugliche Routen, entspannte Rundwege und sportliche Touren mit fantastischem Ausblick. Etwas ganz Besonderes sind die elf Kärntner Slow Trails. Sie alle sind maximal zehn Kilometer lang und auf maxi- mal 300 Höhenmeter angelegt. Die Slow Trails bieten mal einen umwerfenden Weitblick, mal beeindrucken- de architektonische Highlights. Wer es actionreicher möchte, kann sich an Kärntens Weitwanderweg wagen. Der grenzüberschreitende Alpe-Adria-Trail führt in 43 Tagesetappen und über 750 Kilometern von Kärnten über Slowenien bis an die Obere Adria in Italien.

UNTERWEGS AUF ZWEI RÄDERN

Kärnten hat alles, was Radfahrer glücklich macht: Gut ausgebaute Radwege und ein Verleihsystem mit 50 Verleihstationen und 1000 Leihfahrrädern inklusive E-Bikes. Dank „Kärnten Rent-e-Bike" können Räder ganz unkompliziert ausgeliehen und zurückgegeben werden. Einige Stationen befinden sich direkt bei den Campingplätzen. Extra-Tipp für Radler: Die „Große Kärnten Seen Schleife" führt in einer Doppelschleife auf insgesamt 340 Kilometern an einigen der schöns- ten Kärntner Seen vorbei, darunter der Millstätter See, der Wörthersee und der Weißensee. Mountainbiker sollten sich den 15 Kilometer langen Flow Trail in Bad Kleinkirchheim nicht entgehen lassen – es ist einer der längsten seiner Art in ganz Europa!

PADDELN, KLETTERN UND GENIESSEN

Die Drau ist Kärntens Hauptfluss und lädt Wasser- sportfans zu aufregenden Bootstouren ein. Auf

Slow Food in Kärnten: Ein Genuss für alle Sinne!

Kanuwandern auf der Drau – ein einzigartiges Naturvergnügen.

KONTAKT

Gratis-Camping-Magazin
zu bestellen unter
+43 / 463 / 3000 oder
info@kaernten.at. Mehr Infos
unter *www.camping.at*

Slowenien
macht Camping-Träume wahr

Wenn du dein Zelt inmitten unberührter Natur aufschlagen möchtest, bist du im sonnigen Slowenien goldrichtig. Camper dürfen sich auf luxuriöse Stellplätze an der Mittelmeer-küste, an klaren Bergseen und in der Nähe von heißen Quellen freuen.

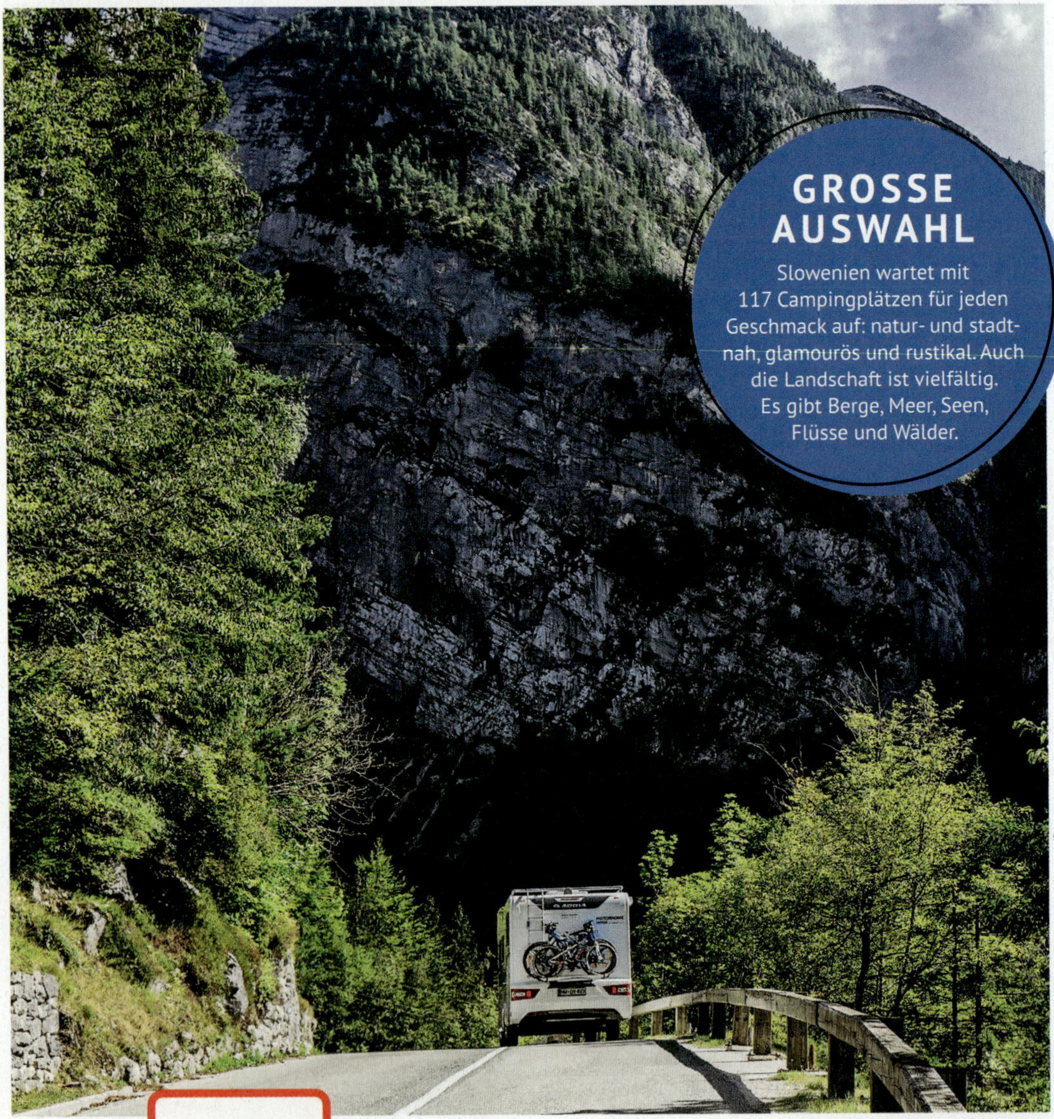

GROSSE AUSWAHL

Slowenien wartet mit 117 Campingplätzen für jeden Geschmack auf: natur- und stadt-nah, glamourös und rustikal. Auch die Landschaft ist vielfältig. Es gibt Berge, Meer, Seen, Flüsse und Wälder.

Auf nach Slowenien! Das Land hat für Naturliebhaber jede Menge zu bieten.

Ob in Wassernähe, in Wäldern oder Weinbergen: In Slowenien findet jeder Camper seinen persönlichen Lieblingsort. Rund 117 Campingplätze liegen über das gesamte Land verstreut – viele davon punkten mit einer hohen Sternezahl sowie mit Auszeichnungen für Nachhaltigkeit und/ oder Beliebtheit. Die meisten slowenischen Campingplätze bieten viel mehr als nur Parzellen zum Übernachten. „Glamping" lautet das Stichwort: Geräumige Mobilheime und luxuriöse Unterkünfte genügen selbst höchsten Ansprüchen und verbinden den Aufenthalt in der Natur mit jeder Menge Komfort.

WOHLTUENDE HEILQUELLEN ERLEBEN

Wohin soll die Reise gehen? Wenn du von einem Urlaub am Meer träumst, bist du im mediterranen Teil Sloweniens genau richtig. An der slowenischen Küste kannst du dich vom sanften Meeresrauschen und dem munteren Kreischen der Möwen wecken lassen. Sobald dir beim Öffnen der Wohnwagentür oder des Zeltreißverschlusses die salzige Meeresluft in die Nase steigt, ist das Urlaubsglück perfekt. Abseits der Strände, aber dennoch mediterran geprägt, sind das Karst-Hinterland und das Vipava-Tal. Bei Ausflügen in die Region können Besucher kleine Dörfer, malerische Olivenhaine und üppige Obstgärten entdecken.

Das Thermale und Pannonische Slowenien liegt in einer Tiefebene, welche durch ihr warmes und trockenes Klima beste Urlaubsbedingungen bietet. Sonnenverwöhnte Weinberge laden zu ausgedehnten Wanderungen ein, historische Burgen und Schlösser erzählen von der glanzvollen Geschichte dieser Region. Erholung und Entspannung versprechen die zahlreichen Naturheilbäder. Wohltuende Heilquellen findest du beispielsweise in den Kurorten Podčetrtek und Dobrna. Gewusst? Gäste der Campingplätze dürfen die meisten Thermaldienstleistungen mitnutzen – so kannst du während des Campingurlaubs deiner Gesundheit etwas Gutes tun.

SICHER REISEN

Etwas turbulenter geht es in Zentralslowenien zu. Die Campingplätze liegen zwar inmitten der Natur, aber dennoch in Stadtnähe. Daher sind sie die idealen Ausgangsorte, um beispielsweise die charmante mittelalterliche Stadt Kamnik oder die Hauptstadt Ljubljana mit ihren kulturellen Schätzen zu erkunden. Das alpenländische Slowenien wird vor allem aktive Outdoor-Fans begeistern. Hier kannst du wunderbar Rad fahren und wandern. Die Campingplätze der slowenischen Alpenregion liegen häufig an Seen und Flüssen, viele davon dürfen sich mit fünf Sternen schmücken. Übrigens: Slowenien war eines der ersten Länder der Welt, die die Auszeichnung „Safe Travels" für sicheres Reisen des World Travel and Tourism Council (WTTC) erhielten. Sicherer und nachhaltiger Urlaub in Slowenien – Camperherz, was willst du mehr?

Mehr Informationen: *www.slovenia.info*

Familien, Paare und Singles: Auf Sloweniens Campingplätzen sind alle willkommen.

Ein Platz an der Sonne

BUCHTIPP

ADAC Yes we camp!
Die schönsten
Camping-Ziele zum Über-
wintern
ISBN: 978-3956899447

Keine Lust auf Schneematsch und deprimierendes Grau in Grau?
Mit deinem Wohnmobil oder Camping-Van kannst du dem
Schmuddelwetter ganz einfach davonfahren und im sonnigen
Südeuropa überwintern.

CLEVER KALKULIERT

Verglichen mit der Hauptsaison kannst
du über den Winter auf Campingplätzen,
aber auch auf Fähren mit günstigeren Preisen rechnen. Allzu minimalistisch sollte
deine Kalkulation aber nicht ausfallen,
denn sonst fehlt das Budget für interes-
sante Ausflüge und Aktivitäten. Ein-
berechnet werden müssen auch
die laufenden Kosten, die
zu Hause anfallen.

KROATIEN *(Kvarner Bucht)*

Von der Sonne verwöhnt und mit einer traumhaften
Landschaft gesegnet – obwohl die Kvarner Bucht am
nördlichen Zipfel der Adria liegt, bietet sie sich seit
Jahrzehnten für kleine und große Winterfluchten an.
Auch in der Nebensaison kommen Wanderer und
kulturell interessierte Reisende in dieser Region auf
ihre Kosten. Überdies steigt die Anzahl der Camping-
betriebe, die auch in der Wintersaison ihre Plätze
geöffnet halten.

CAMPING BOR

Am Rande der Inselhauptstadt Krk lädt Camping Bor
auch im Winter zu längeren Aufenthalten ein. 100 der
140 Standplätze sind parzelliert, die Standflächen
sind mit 80 bis 125 m² üppig gehalten. Der Ortskern
von Krk liegt nur 500 m entfernt.

Crikvenica 10, 51500 Krk, Telefon: +385 (0)51/22 15 81,
GPS-Koordinaten: 45.0225, 14.561866675
pincamp.de/hr3150

Bilder: Adobe Stock, PiNCAMP/ADAC

SPANIEN *(Costa Blanca)*

Weiße Häuser, weiße Sandstrände und dazu ein ganz besonderes Licht: Was lag näher, als dieser Küste den Namen „Costa Blanca" zu geben? Der Landstrich gilt vielen als Inbegriff des spanischen Traumziels – weit genug südlich, um von der warmen Wintersonne zu profitieren, doch nur 650 km hinter der französisch-spanischen Grenze gelegen. Der Norden der Costa Blanca liegt nur 55 Seemeilen von den Inseln Ibiza und Formentera entfernt, das Hinterland spart nicht mit Reizen und Ausflugszielen.

CAMPING RESORT GRAN CONFORT ALMAFRA

Unweit von Benidorm bietet das Camping Resort 300 parzellierte Standplätze. Der Campingplatz punktet mit seinen Wellnessangeboten, Tennisplätzen und einem Poolbereich. Strand und Einkaufsmöglichkeiten sind mit dem Rad gut zu erreichen.

Partida Cabut 25, 03503 Benidorm, Telefon: +34 (0)965/88 90 75, GPS-Koordinaten: 38.568357, -0.0942075
pincamp.de/va4650

FRANKREICH *(Côte d'Azur)*

Der Süden Frankreichs ist bereits seit Jahrhunderten ein beliebtes Ziel für Winterflüchtlinge. Schon im unteren Teil des Rhônetals werden die Temperaturen deutlich milder, und in den geschützten Regionen der Côte d'Azur sind auch im Dezember frühlingshafte Witterungsbedingungen keine Seltenheit. Außerhalb der Saison sind selbst die Top-Ferien- und Ausflugsziele nicht überlaufen, Abstecher in die Provence und in die Camargue sind auch zu dieser Jahreszeit reizvoll.

CAMPING AU PARADIS DES CAMPEURS

Auf halbem Weg zwischen Saint-Tropez und Fréjus, wunderschön gelegen und direkt an der Küste. Hunde sind hier erlaubt, alle Möglichkeiten zur Ver- und Entsorgung sind gegeben, ebenso wie Einkaufsmöglichkeiten auf dem Platz.

La Gaillarde Plage, 83380 Les Issambres, Telefon: +33 (0)494/96 93 55, GPS-Koordinaten: 43.36601667, 6.711933335
pincamp.de/po_7950

Nachhaltig
Campen in Südeuropa

Wie umweltbewusstes Reisen funktionieren kann, zeigen
diese ECOCAMPING-zertifizierten Campingplätze.

GRÜNER CAMPEN

Die Suche nach ansprechenden Campingplätzen, denen Nachhaltigkeit ein Anliegen ist, fällt nicht schwer. Du kannst zum Beispiel PiNCAMP nutzen, das Online-Campingportal des ADAC. Über die Website kannst du aus über 5000 Campingplätzen nach deinem Wunschplatz suchen und ganz einfach buchen.

BUCHTIPP

SVENJA PREUSTER
GREEN CAMPING
Mit Fräulein Öko umweltbewusst
draußen Urlaub machen

Green Camping
Mit Fräulein Öko
umweltbewusst
draußen Urlaub machen
ISBN: 978-3956899294

Camping im Einklang mit der Natur ist eine der umweltfreundlichsten Arten, seinen Urlaub zu verbringen, und noch dazu eine der schönsten.

CLUB CAMPING JESOLO INTERNATIONAL
(Italien, Venetien)

Dolcefarniente am Sandstrand von Jesolo – das geht, auch ohne die Umwelt zu belasten, und zwar in der klimaneutralen Ferienanlage zwischen Fluss und Mittelmeer. Mit etwas Glück gibt's sogar einen Standplatz mit Blick aufs Wasser und direktem Zugang zum Strand. Umweltschutz beginnt im Jesolo Club bereits im Kleinen, so wird etwa Papier gespart, und die Werbung sowie die Kommunikation mit den Gästen erfolgt ausschließlich online. Um Wasser zu sparen, werden heimische Pflanzen in die Beete gesetzt, die an das südliche Klima angepasst sind und einen geringen Bewässerungsbedarf haben. Zudem sind in den Sanitäranlagen wassersparende Armaturen verbaut, die ebenfalls den Wasserverbrauch reduzieren. Der Club verfügt über eine hochmoderne Pool-Landschaft, die auf Wasserrückgewinnung setzt. Durch die vielen Bäume auf dem Gelände, darunter Pappeln und duftende Pinien, sind die Standplätze angenehm schattig.

Viale A. Da Guissano 1,
30016 Lido di Jesolo,
Telefon: +39 04 21 97 18 26,
Mitte Mai–Ende Sept.,
GPS: 45.48396667, 12.58756667
pincamp.de/VE4550

CAMPING KOVAČINE
(Kroatien, Insel Cres)

Sonne, feiner Kiesstrand, tiefblaues klares Wasser – dem Urlaubsvergnügen steht nichts im Weg. Auf dem Campingplatz der Insel Cres spenden Olivenbäume und Pinien duftigen Schatten. Es wird ausschließlich Ökostrom verwendet, die Sanitäranlagen werden außerdem mit Solarenergie betrieben. Die Wasserqualität vor der Insel unterliegt einer regelmäßigen Kontrolle. Auch der Strand ist sehr sauber, was den Campingplatzbetreibern am Herzen liegt. Es werden organisierte Wanderungen und Fahrradtouren angeboten, außerdem gibt es Boote und Kanus zum Ausleihen. Eine schöne Idee sind die Blütenwanderungen und Bio- und Öko-Touren, um die heimische Flora und Fauna kennenzulernen.

Melin I/20, 51557 Cres,
Telefon: +385 51 57 31 50,
Ende März–Mitte Okt.,
GPS: 44.96293333, 14.39698333
pincamp.de/HR2000

SAKSIDA WINE AND CAMPING RESORT
(Slowenien, Vipava-Tal)

Lust auf ein kleines Naturparadies? Zwischen sanft hügeligen Weingärten schmiegt sich der Campingplatz rund um das Landgut Saksida im Vipava-Tal – die Lage im Grünen könnte kaum idyllischer sein, insbesondere während der Traubenlese im September! Das Landgut stellt seine eigenen Weine her, man kann sie kaufen oder im Restaurant probieren, wo es traditionelle Küche mit regionalen Zutaten gibt. Das umgebende Hügelland lädt zu Wanderungen und Fahrradtouren ein. Falls die Hügel zu steil sind, kann man E-Bikes ausleihen. Die umliegenden Flüsse bieten sich perfekt zum Wassersport an. Auch in Sachen Umweltschutz engagiert sich das Gut. So verfügt es über eine eigene Solarwärmeerzeugung, gestaltet die Anlage naturnah, setzt Wasserspartechnik ein und reduziert die Versiegelung der Böden.

Založče 12a, 5294 Dornberk
Telefon: +386 53 01 78 53,
Mitte März–Ende Dez.,
GPS: 45.890044, 13.748318
pincamp.de/Pin_232291

GROSSES GEWINNSPIEL

mit 20 tollen Preisen für deinen nächsten Camping-Urlaub

1.

10 TAGE ADAC WOHNMOBIL – FÜR DEINEN URLAUB 2023

Gewinne 10 Tage in einem Wohnmobil von der ADAC Autovermietung.*
Für bis zu 4 Personen kann sich der Gewinner zwischen einem Teilintegrierten, einem Alkoven und einem Kastenwagen entscheiden. Freu dich auf unabhängiges Reisen inklusive 3000 Freikilometer.

2.-4.

je ein ADAC Wohnmobil-/Wohnwagen-Training

Übe in sicherer Umgebung und unter Anleitung von erfahrenen Trainern den richtigen Umgang mit diesen speziellen Fahrzeugen. Du erhältst wertvolle Tipps für die richtige Beladung und wie du entspannt und souverän dein Gespann bzw. dein Wohnmobil rangierst. Das Training erfolgt mit dem eigenen Wohnmobil bzw. Wohnwagen und dauert ca. 8 Stunden. Die Gewinner können sich ein Training in der Nähe ihres Wohnortes auswählen.

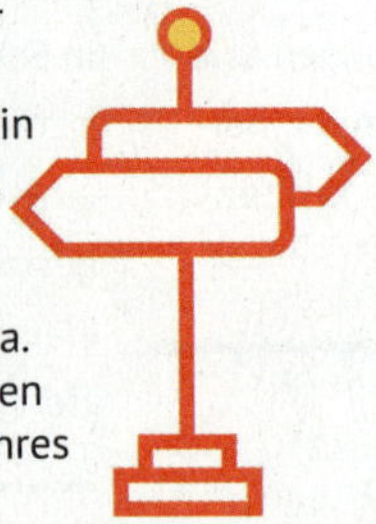

5.-7.

je ein 5-teiliges OMNIA Set mit dem pfiffigen OMNIA Campingbackofen und den besten Zubehörteilen, die das Kochen und Backen vereinfachen!

Das KIT 1 besteht aus: OMNIA Campingbackofen, OMNIA Silikonform 2.0, OMNIA Aufbackgitter, OMNIA Tasche, OMNIA Topflappen-Set. Es ist das perfekte All-in-one-Paket, mit dem man direkt voll ausgestattet mit dem OMNIA Campingbackofen loslegen kann.

8.-20.

je ein Camping-Buch von allen im Magazin abgebildeten Buchtipps.

SO KANNST DU TEILNEHMEN:

Melde dich auf der Seite **www.gu.de/campingmagazin** mit deiner E-Mail-Adresse und deinem Namen an. Diese Daten werden zur Benachrichtigung im Gewinnfall benötigt. Danach werden sie wieder gelöscht, es sei denn, du möchtest auch in Zukunft gerne über unsere Camping-Ideen, Tipps und Aktionen informiert werden. Diese Information findest du ebenso auf der angegebenen Webseite wie die Teilnahmebedingungen des Gewinnspiels. Das Gewinnspiel mit tollen Preisen findet vom **10. Januar 2022 bis zum 4. September 2022** statt.

Der Anmietzeitraum des 1. Preises richtet sich nach Verfügbarkeit ab einer ADAC Wohnmobil-Anmietstation in Deutschland ab Gewinn-Auslosung (5.9.2022) und muss bis zum 31.12.2023 eingelöst werden. Einwegmieten sind nicht möglich. Die Pfingst- und Sommerferien des jeweiligen Bundeslandes der Anmietstation sind im Rahmen des Gewinnspiels nicht buchbar. Zusatzkosten wie Zusatzausstattung des Wohnmobils, Reiseversicherung, Wohnmobilversicherung etc. können anfallen, sofern der Gewinner sie dazu bucht. Diese sind nicht im Gewinn enthalten.

Bilder: ADAC, PR